LA MÈRE
ABUSIVE

HÉLÈNE WIART-TEBOUL

LA MÈRE
ABUSIVE

le hameau éditeur

Au compagnon charpentier
mort pour les hommes
A l'officier
mort pour la France

Le thème de cet ouvrage a été suggéré par l'éditeur Paule TRUCHAUD, qui a assumé de surcroît la lourde tâche d'aider l'auteur à mener à bien cette expérience littéraire.

Documentation : J.-L. Charbois
Isabelle Teboul

© LE HAMEAU, 1983
ISBN 2.7203.0072.1

« ... Cette image de la mère qui a été chantée et célébrée dans tous les temps sous toutes les latitudes et dans toutes les langues. C'est cet amour maternel qui fait partie des souvenirs les plus touchants et les plus inoubliables de l'âge adulte, et qui signifie la secrète racine de tout devenir et de toute transformation, le retour au foyer et le recueillement, le fond primordial silencieux de tout commencement et de toute fin intimement connue et étrange comme la nature, amoureusement tendre et cruelle comme le destin, dispensatrice voluptueuse et jamais lasse de vie, mère de douleur, porte sombre et sans réponse qui se referme sur la mort, la mère est amour maternel, elle est mon expérience et mon secret. A quoi bon toutes nos paroles trop prolixes, trop pauvres, voire trop mensongères au sujet de cet être humain appelé mère dont — pourrait-on dire — le hasard fait le porteur de cette expérience qui enferme en elle ma mère, moi, toute l'humanité, et même toute créature vivante qui devient et passe, le porteur de l'expérience de la vie dont nous sommes les enfants ? On l'a toujours fait certes, et on le fera toujours, mais celui qui sait ne peut plus faire retomber cet énorme poids de signification, de responsabilités et de devoir, de ciel et d'enfer, sur ces êtres faibles et faillibles, dignes d'amour, d'indulgence et de pardon qui nous furent donnés comme mère. »

C. G. JUNG
« Les Racines de la conscience »,
traduction d'Yves Le Lay,
ouvrage publié sous la direction du Dr R. Cahen
Paris, Buchet-Chastel, 1971.

INTRODUCTION

« Lorsque l'enfant paraît »... Il y a neuf mois que les jeux sont faits. L'hérédité des deux parents et le triage qui se produit au moment de la fécondation de l'ovule ont donné les cartes.

Pendant la grossesse, l'enfant partage tout ce que vit sa mère : mieux, il entend les bruits de l'extérieur lorsqu'ils sont forts, la voix de sa maman et bien sûr, son cœur : plus tard, le bébé qui hurle sera calmé comme par miracle s'il est serré contre le cœur de sa mère : il reconnaît les bruits entendus avant la Grande Séparation.

L'enfant est expulsé dans le monde ; il était temps, l'utérus maternel le serre tellement il a grossi ; mais au moment de la naissance, recevoir les chocs de la lumière, de la pression de l'air sur la peau, ce sont des épreuves qui expliquent le hurlement qu'il pousse en se mettant à respirer. Le poser quelques minutes sur le ventre de la maman, attendre pour couper le cordon ombilical qui, jusque-là, lui transfusait la vie, c'est lui permettre de s'habituer un peu à la solitude.

Ses yeux voient, ses oreilles entendent, sa peau sent, son corps a faim ; pourtant tout ceci n'est pas juste : car « il » n'existe pas : on ne naît pas un petit d'homme, on le devient : le bébé est le plus grand prématuré de l'univers et c'est pendant les six premiers mois de la vie que son système nerveux se met à peu près au point : tout ce qui se passe pendant cette période acquiert de ce fait une grande importance et ce, pour deux raisons :

— les outils de communication se développent : ils permettront de sentir et de répondre aux messages correctement interprétés ;

— ce qui ne se fabrique pas à ce moment-là ne pourra plus se refaire : l'enfant sera gêné toute sa vie par un « outil-cerveau » de moins bonne qualité.

Ce que l'enfant a à vivre est difficile : le malaise, la faim, le froid, l'alternance incompréhensible du jour et de la nuit, l'angoisse, en un mot : seule la mère le soulage lorsqu'il appelle. Elle le nourrit, le berce, lui parle. Mais si cette mère est tellement inquiète qu'elle applique le dernier livre de puériculture à la mode au lieu de se mettre à l'écoute de l'enfant, ce dernier ne va pas bien : il vomit, a des coliques, ne mange plus ; parfois c'est beaucoup plus grave.

A côté de la maman source de vie, d'autres êtres se déplacent ; un, en particulier. Il se penche sur le berceau en adoucissant sa voix basse ; quelquefois la mère se tait pour l'écouter et ça, la faire taire, c'est quelque chose ! En plus, il se promène debout, lui : il n'a pas besoin des bras de maman, il n'a pas l'air d'être

INTRODUCTION

en péril quand maman sort de la pièce : pour le petit, le père est la preuve que l'autonomie est possible.

Bien sûr, nous ne pouvons faire que des suppositions sur ce que l'enfant fixe dans sa mémoire quant aux relations avec ses parents... « Il existe quelqu'un qui fait la Loi à maman de temps en temps : heureusement car maman a le pouvoir de vie et de mort sur moi : la voilà sortie de la pièce, qu'est-ce que j'ai fait pour qu'elle m'abandonne ? Je lui ai fait du mal en pensant à elle, je l'ai tuée dans ma tête ? Elle ne reviendra pas, je vais mourir là, tout seul... Non, ce n'est pas possible, puisqu'il y a papa, aussi : je me fais des idées, papa va arranger ça ; la preuve, maman revient ! » La mère est une divinité toute puissante, secourable et effrayante du fait même de son pouvoir.

Quand le père n'est pas dans les parages parce que la mère le tient à l'écart de cet enfant qui est son enfant à elle, sa chose à elle qui la console de son manque de bonheur dans la vie, le bébé met dans sa mémoire une image de la mère qui ressemble à une pieuvre : les tentacules ne le lâcheront que lentement et, trop souvent, jamais : bien des troubles mentaux apparaissant plus tard viennent de là.

Mais si c'est la vie qui empêche le père de jouer son rôle (la maladie, les guerres, les abandons), la mère doit faire face aux responsabilités paternelles en plus des siennes. L'enfant, précocement déçu de sa douleur à elle rejette le monde habituel où sa mère se bat souvent pour leur survie matérielle. Dans leur imagination à tous deux, l'enfant pourra faire plus, tout le temps plus haut, plus vite, plus généreusement que ce père qui a laissé un vide. La mère pense : « Il peut ! » L'enfant entend en lui : « Je dois ! » Etre héroïque veut dire tout d'abord payer la dette brûlante, celle d'avoir encombré la vie de la maman ; c'est cela, un enfant ; il se rend responsable de tout dans la puissance magique qu'il se souhaite. Ensuite, les épreuves incessantes permettent de tenir à distance ce qui est aussi vrai que le fol amour : la haine et la peur de cette image divinisée de la mère.

Le père n'a pas joué son rôle qui est de pousser l'enfant vers le réel : l'action remet l'imagination à sa place et les pieds de tout le monde sur le sol.

L'héroïsme met toujours la vie et la mort en balance, la mort des uns et la mort de soi-même. Mais le Démon et l'Archange ont une constellation psychologique semblable. La différence fondamentale c'est que le délinquant est rejeté par sa mère réelle. Rejeté parce qu'elle ne veut pas réellement de cet enfant ou rejeté involontairement parce qu'elle est trop écrasée par la vie pour se consacrer à lui. L'importance du rejet sera souvent proportionnel à la gravité de la délinquance.

Mais il y a aussi un autre type de mère « abominable » celle qui brille par son absence, celle qui se laisse mourir ou celle qui se tue, se rendant ainsi coupable d'un abandon total envers son enfant.

Il n'est pas facile de renoncer à ses dieux et c'est pourtant ce que nous devons parvenir à faire pour acéder à une vie d'adulte équilibrée. C'est dans la manière dont l'enfant ressent les attitudes de sa mère à son égard, dont il les intègre et dont il les transforme que se joue toute son évolution psychologique ultérieure.

Il peut se sentir très heureux d'avoir une mère ultra-protectrice et il tâche de la garder toute sa vie auprès de lui. Mais un autre se sentira étouffé par une telle mère et cherchera par tous les moyens à échapper à la pieuvre, quand ce n'est pas à lui faire payer son comportement possessif et contraignant. Ainsi naissent héros ou assassins.

INTRODUCTION

Tantôt il se sentira de trop auprès d'une mère qui ne veut pas de lui et il tentera de disparaître ou de se faire tout petit pour ne pas gêner. D'autres fois, il tâchera de devenir « quelqu'un » pour lui prouver qu'elle a eu raison de le mettre au monde...

Tous ces cas de figures existent, c'est ce que nous allons voir au cours de cet ouvrage dans un défilé d'être aussi différents que possible qui nous montrent qu'à toute époque la relation avec la mère a été déterminante pour l'enfant.

1.

GEORGES

une mère meurtrière

Contre toute logique, elle rudoyait également ceux qui prétendaient la plaindre et ceux qui tentaient d'excuser Marc. Comme elle eût aimé se sentir une victime ! Mais qui se réveille n'est pas toujours innocent du mal qui s'est tramé durant son sommeil ; car s'est-il fait tandis que l'on dormait, ou parce que l'on dormait ? Elle seule se savait coupable, mais sans bien distinguer en quoi. Cela ne rend guère conciliant.

Gilbert CESBRON.

QUI TUE UN ENFANT ?
Ce texte est tiré
d'un cas clinique

La porte est entrouverte : Georges s'y glisse comme une ombre. Ça ne sent pas bon. Comme la poubelle devant chez Mamie, au Tréport, là où ils font des crêpes et des moules, se dit le petit garçon. Il tourne sur lui-même, examine les murs de brique crues. Le réduit carré est éclairé par quelques pavés de verre, intercalés en haut près du plafond. Ciment en l'air, ciment par terre.

C'est des grosses poules, comme chez Mamie quand les vaches poussent dans l'herbe, pense le petit. Il pense bizarrement,, le pauvre, vraiment pas bien avancé pour ses sept ans, depuis que sa sœur est morte dans cet accident de voiture. « La vache ! La sale vache ! » chantonne-t-il (pas trop fort). Sa mère, hier, l'a privé de goûter pour la semaine. Une semaine ! Il ne sait pas combien ça fait, mais il sent que ça fait beaucoup. Tout ça parce qu'en rentrant de l'école il lui a chipé la chemise de nuit qui brille pour faire Clo-Clo, ou bien Timour, dans les caves du Château. Sa mère a hurlé : « Ma chemise de nuit en satin ! Tu es fou ! » Et l'a privé de son « quatre heures » pour une semaine. Elle l'a tapé, ça il connaît. Elle tient. Aujourd'hui c'est comme hier : il n'a rien pour goûter. Ça va continuer encore tout ce temps ? Non, ça fait trop !

Georges a filé, claquant la porte de l'appartement, les mains sur les oreilles pour ne plus sentir ce mur d'acier qui semble s'élever de la voix de sa mère : « Tu es fou, mon bonhomme, et ton école pour fous ne t'arrange pas ! »

Dégringolant l'escalier en fausse pierre de Paris, il pleure, s'essuyant le nez dans le bas de son tee-shirt relevé jusqu'aux oreilles, et murmure : « Vache ! Sale vache ! » Au moment de sortir sur l'esplanade où poussent les tours, il change d'idée. Il change souvent d'idée, Georges, ou plutôt, ça change dans sa tête. Le voilà qui s'est faufilé sur ses chaussettes rayées jusque dans la resserre aux poubelles. Il tape sur le ventre rebondi des grosses dindes en plastique (pas trop fort, il a si peur d'être surpris). Surtout ne pas être découvert. Bien fait, il va être mort. Tout le monde pleurera, et lui s'amusera bien. Même qu'il rira !

Padam, Padam, Padam, les jambes marchent toutes seules. Le cœur lui bat dans les jambes. Comment les arrêter ? Depuis longtemps elles font ce qu'elles veulent, tout comme sa tête est pleine de choses qui défilent. De drôles de choses, souvent. « Jambes pas sages, chantonne-t-il, jambes pas sages auront pas de chaussures ! » Il rit tout seul en imaginant la tête que vont faire ses pieds privés de sandales. Penser,

18

parler, pour lui c'est tout comme. Le dedans, le dehors, il ne sait plus rien.

C'est pas juste, pense-t-il, maman n'a pas été punie, elle, quand elle a cassé CloClo — même que des gens noirs ils ont mis CloClo avec sa robe des prix et ils l'ont emportée là où il y a le Jésus accroché, à l'église. Et puis après ils l'ont enfermé dans la terre, et ça, je me rappelle, même si j'étais très petit. Je revois bien tout. Maman a mis CloClo sous le camion — je sais, j'étais derrière — toujours sur la banquette arrière, j'étais, et même elle a cassé aussi la voiture, et ça fait deux fois des vacances chez Mamie depuis. Et l'ambulance des pompiers est venue devant la Tour, et puis maman est sortie toute rouge, et puis CloClo est devenue toute blanche. Déjà que c'était une fille. Elle avait plus l'air bonne à rien.

« Morte », ils ont dit. Sous leurs casques ils avaient une tête pas comme d'habitude. Morte, je sais pas. Partie, ça je sais. Hier je jouais à CloClo qui revient, avec la chemise de nuit. Des fois qu'elle soit furieuse que je fais comme elle, et qu'elle arrive me taper ?
« Vache, sale vache ! » reprend-il en chantonnant. Badam, badam, les pieds sur la poubelle. Chacune de ses mains tire mécaniquement sur une mèche de cheveux filasses : il n'a plus beaucoup de cheveux sur le devant. Georges suit mentalement les images qui se déroulent et s'emboîtent comme des wagons s'accrochent à une locomotive.

Il voudrait changer de famille. « J'irai loin sur l'éléphant rose qui s'envole, vers mon vrai papa, et c'est le chef du village, et c'est derrière la colline, et il dira même devant le gardien que c'est moi son vrai fils qu'il a perdu dans le métro un jour de vitrines de Noël ! Et puis, la vache, elle fera des yeux ronds

19

comme si elle était crevée, et je serai bien content. Ça lui apprendra à me prendre mon quatre heures. Et puis il paraît que je suis méchant comme mon papa qu'est jamais là. Et puis même qu'elle dit que je suis fou ! »

Georges a réussi à se caser entre les poubelles. Roulé en boule comme un chat maigre, il a froid. Une main sur la pissette, l'autre fourrageant dans sa crinière, il coule dans le coton du sommeil. Malgré l'odeur, cette pièce lui paraît un véritable abri. Il lui a semblé vaguement percevoir la voix de sa mère, là-haut, au premier (escalier C, porte 14). « Nous avons racheté une voiture. L'autre a été réduite en miettes le jour où j'ai failli mourir. Un routier est arrivé sur la droite, m'a coupé la route. Ils sont toujours soûls, ces gens-là, c'est honteux. Heureusement, j'ai pu me cramponner au volant. C'est ma fille qui a tout pris. Oh, elle est morte sur le coup, la pauvre chérie, elle n'a pas eu le temps de souffrir de la vie. Elle n'avait que sept ans ! »

Paulette monologue en face de Maria. La pièce est laide et propre. Rouge et noir, peluche et skaï, c'est le canapé. Devant, une petite table basse à piétement chromé, dessus de verre, supporte un cendrier provençal — avec une cigale. Au mur, en face de la fenêtre, une glace genre Venise. Au-dessus du buffet plaqué teck — qui brille comme un miroir — une scène de chasse dans la campagne anglaise, tissée en coton. Tapis par terre, la dernière acquisition, à grosses fleurs roses sur fond vert. Des appliques à globe dominent la situation. Là-bas, comme honteux, un tout petit fusain maladroit est punaisé près de la fenêtre, à moitié caché par le voilage. C'est le visage d'une petite fille où les yeux rient, une petite fossette trouant la joue gauche. L'odeur est à fond de bière et de vernis à ongles.

20

GEORGES

En parlant, Paulette agite ses bracelets de pacotille. Maria, toute vêtue de noir, écoute un français qu'elle maîtrise à peine. D'ailleurs, elle n'est pas là pour comprendre. Elle est là pour entendre. Ici elle a chaud. C'est ça qui compte. L'accueil fait par la maman de Georges (toute occupée à mettre en scène une fois de plus les drames de sa vie) est pour cette émigrée un morceau de foyer. La part du pauvre ? Soit. Mais pauvre comme Maria, qui peut l'être plus ? Son mari a été importé en fraude vers la France il y a cinq ans, passant par Le Perthus au petit jour entre des barils de morue. Il a trouvé à travailler là où les gens d'ici ne veulent plus mettre les mains. Parqués à huit dans une chambre, tous envoient des sous au Portugal le samedi matin, encombrant le guichet des mandats qu'ils bloquent.

Enfin Maria est venue, l'année dernière. L'autocar miteux l'a arrachée à la petite église blanche disparue au tournant de la route. Toujours pas d'enfant en vue. Dans sa nostalgie de la maternité, elle devine Georges comme devant être protégé, elle ne sait pas de quoi, mais ce qu'elle sent planer est terrible. Maria a l'instinct sûr de certaines femmes du sud qui ouvrent les bras avant même que le petit ne pleure : elles savent. Pas besoin d'apprentissage. Mais hélas. elle ne peut rien faire pour Georges. Elle n'arrive pas à se faire une opinion. En un sens Paulette la trouble un peu : avoir perdu une petite de sept ans — l'âge qu'a Georges à l'heure actuelle — ça doit mettre jusqu'à la mort une pierre dans le ventre à la place de la vie. Alors, d'avoir provoqué l'accident ! Ce doit être intenable pour Paulette. Les petites robes indiennes, les sandales hippies, la coiffure afro et les bracelets qui cliquètent, tout ça c'est sûrement du courage. Maria admire, car elle, elle aurait sombré. Non,

LA MERE ABUSIVE

Paulette n'a pas de regrets. Tout au moins à ce propos. Encore moins de remords. Elle a rangé sa fille dans une boîte vernie, très chère, après lui avoir passé — difficilement — la plus jolie de ses petites robes. Puis elle s'est entendue hurler à la mort comme une louve, pour se retrouver cassée en deux. Le cœur est resté au-dessous. L'étage supérieur, celui qu'elle exhibe, c'est le lamento sur son triste destin. Chaque jour elle ressasse tous les malheurs de sa vie dans lesquels elle s'enroule de la même manière, quel que soit l'auditeur.

En ce moment, au rez-de-chaussée, ce sont ses jambes que Georges cherche à enrouler autrement. Ça tire drôlement dans les mollets. Quant à l'estomac, mieux vaut ne pas y penser et se laisser couler dans un demi sommeil.

Paulette est en deuil. C'est un statut, un passeport. Elle se trouve très courageuse. Tenir sa maison. Rester plaisante à voir. Tout ça pour René, son mari. « Hem ! » dit Paulette à Maria, avec un certain petit sourire qui rend Maria aussi rouge que les pivoines du papier peint. Du coup, elle s'esquive, vaguement coupable d'avoir à faire, elle. Son mari rentre déjeuner du chantier voisin.

René ? Il n'a qu'à s'écraser quand il est là entre deux tournées. Les voyageurs de commerce ne sont pas des maris gênants. Non que Paulette soit infidèle. Elle est trop peureuse, et trop avare d'elle-même pour cela. Seulement les tournées du mari sont singulièrement plus longues depuis deux ans. Comment faire autrement ? CloClo partie, Georges s'est mis à s'agiter comme un pantin. Il a fallu l'inscrire dans une école pour handicapés, un externat médico-pédagogique. René ne supporte pas les mines apitoyées des voisins devant l'enfant grimaçant. S'il cherche à défendre le petit que Paulette frappe à toute volée, la voilà qui fond en larmes et pleure son maquillage dans la soupe. Que faire devant une petite femme si courageuse ? Dans ces moments-là, René sort faire un tour et fumer une cigarette : surtout ne plus voir les yeux clairs de Georges, des yeux d'animal rossé sans savoir pourquoi. Cet enfant lui donne des angoisses. Il préfère ne pas y penser.

Sa chope à la main, Paulette rêve. La voilà loin en arrière, à Bruxelles. Le rideau de guipure laisse voir la rue au-dessus des longues plantes des Barbades bordées de jaune. Là, les tramways rythment le jour. Revient aussi le visage du père (sa mère est morte juste après sa naissance). Il a élevé Paulette comme une princesse fragile, l'entourant des fils de sa sollicitude, fabriquant une cage où elle vivait en sécurité. Elle tenait le ménage. Une-deux : essuyer la table et les pieds des deux fauteuils. Trois-quatre : récurer le dessous de l'évier et vérifier que les robinets d'arrêt du gaz sont bien fermés, ou bien ouverts. Que ce soit parfait : recommencer, et encore. Sinon l'angoisse lui noue le ventre et tout devient rouge devant ses yeux. Faire les lits. Passer la wassingue sur les dalles, d'abord les noires, ensuite les blanches. Recommencer si elle a débordé. En nage elle arrivait au midi : la bière était au frais dans un seau d'eau, la soupe épaisse au feu. Le grand rire du père lui tinte encore aux oreilles, ce père qui la câlinait comme une toute petite fille. Pourtant elle attrape dix-huit ans...

Sur la grand place, un samedi soir, elle ose sortir seule. Un événement ! Longeant les murs, regardant droit devant elle comme une jument portant des œillères, elle croise des gens qui s'esclaffent, heureux du dimanche qui s'annonce. Les grosses femmes en robes fleuries rient jusqu'aux oreilles en brusquant des marmots aussi larges que hauts. Les hommes marchent en avant, en en racontant de bien bonnes qui leur font la bouche en tirelire au-dessus des cornets de frites qui fument. Exactement comme dans une chanson de Brel !

« Vous êtes étrangère aussi, mademoiselle ? » Interloquée, elle n'ose pas dire non. En plus, quelque part, la question la flatte. C'est un grand beau garçon blond qui pourrait être d'ici. Le menton est un peu mou, mais le sourire est joli. « Venez donc dîner avec moi. Je suis de Paris, tout seul ici, en stage. Ce n'est pas drôle, vous savez ! » Les voilà partis côte à côte. Elle, s'escrimant à claquer ses hauts talons dans le sillage laissé par les grandes jambes de son compagnon. Elle n'a même pas songé à dire non. A côté de la Grand-Place, il y a un petit restaurant qui devient immense quand on entre et qu'on le voit jusqu'au fond. Sur la droite, les fourneaux et les plaques. Sur les plaques. la meilleure viande de Bruxelles. Les voilà assis. Chacun devant une entrecôte garnie d'une grosse pomme de terre fendue et arrosée de crème. Avec une bière en or liquide dans les chopes. Une « Gueuse Lambic », puis deux... Paulette se met à sourire, comme chaude à l'intérieur de son ventre. René, tout faraud de cette si jolie petite, raconte les choses en les arrangeant un peu : ses parents tiennent un domaine (en fait, ils vivent tout juste de leur retraite sur un petit bien de l'arrière-pays normand). Le reste est à l'avenant. Ils perdirent un peu la tête, ce soir-là. Et même beaucoup. Ils ont fait CloClo. Le père de Paulette n'a rien dit. René était, à l'évidence, un brave garçon. Un peu veule, mais gentil. Le jeune couple marié à la hâte partit tout de suite vers la France. Le père passa sous un tramway quelques jours plus tard : il faut dire que le sol glissait bien à cette époque de l'année. Finie pour Paulette, la vieille ville à la grande avenue embrumée où les lumières dessinaient les maisons étroites et hautes... Finies les frites qui brûlaient le nez sous la sauce, quand le père emmenait promener Paulette après la messe.

Paris, bon, peut-être. Mais Sarcelles ! Cette banlieue verticale où les clapiers s'encastrent (noir - blanc - gris) les uns dans les autres ! Où les lapins se sauvent tous à la même heure ou presque, par le « direct » de 7 h 37, poussés en dehors du terrier par un renard invisible... Au début, René rentrait tous les vendredis soirs. Sa carte de représentant donnait au couple une bonne aisance. Dès que CloClo eut un an et que le convertible fut payé, Georges fut mis en route. Et puis Paulette voulut apprendre à conduire : fourrer les deux gosses dans une voiture, c'était être libre. Travailler ? Aller prendre le train après avoir posé les gosses chez une bonne nourrice ? A cette seule idée, elle se blotissait dans ses draps et tirait la couverture jusque par-dessus sa tête. D'ailleurs, même pour faire les courses, elle ne sortait jamais seule. René remplissait le congélateur tous les quinze jours au supermarché tout près, et elle faisait tous les jours son petit tour avec CloClo. En général, elle laissait Georges seul à la maison. La petite ne fréquentait pas la maternelle : avec tous ces sales gosses de pauvres et toutes leurs maladies ! Ça, Paulette ne le disait pas. Elle le gardait pour elle. Jusqu'au jour où une assistante sociale est venue. Il paraît que CloClo doit aller à l'école ? Oui. Ce furent des hurlements, un arrachement quotidien pour Paulette.

Georges a près de quatre ans : gentil, mais lent. Pas très avancé. Toujours l'air de revenir de quelque part où personne d'autre que lui n'a accès. Paulette rate son code. Qu'à cela ne tienne. Elle prend la voiture quand même, CloClo à côté d'elle, Georges fourré sans ménagements sur la banquette arrière. Un soir, elle coupe la route à un poids lourd qui arrive sur la droite. Georges est projeté à l'extérieur, et se relève apparemment indemne, après un magistral roulé-boulé. CloClo est tuée sur le coup.

Et voilà que Georges déjà fragile devient très vite une mécanique disloquée et remuante. « Georges, ne touche pas le cendrier ! » Et Paulette recompte : Un-deux, essuyer les pieds du fauteuil ; trois-quatre, essuyer la table... « Ne touche à rien, débile ! » L'enfant prend son vieux petit bout de couverture et se fourre sous la table de la cuisine. Les enfants tristes ont heureusement des tables pour se faire des maisons. Ses mains naviguent un peu partout (« Si tu y touches, je te la coupe ! »). Ses cheveux se clairsèment vite. Mais là le petit se sent en sécurité.

Depuis l'accident René ne rentre qu'un vendredi sur deux. Ce soir, il est là. Tout y passe, des litanies habituelles à sa femme. Chaque fin de quinzaine ce sont les mêmes. « Ses beaux-parents la détestent, ils montent le petit contre elle. Elle le sent. Elle le sait. Ils pensent qu'elle est une pas grand-chose, une moins que rien, d'avoir fait CloClo avant les cloches de la messe de mariage. D'ailleurs, quand Georges revient de Normandie, il la regarde d'un air, mais d'un air ! C'est sûr, il la juge. Sa famille de bouseux lui monte la tête : je ne veux plus qu'il y aille. D'abord, tout ça, c'est de ta faute. Si tu avais caché les clés de la voiture, je ne les aurais pas prises, et CloClo serait là. Et toi et ton monstre de fils vous seriez moins fiers ! Grande lavette ! Minable ! Vendeur de lacets ! »

Paulette va et vient, rageusement, sans toucher les meubles. Elle, ce ne sont pas ses jambes qui partent toute seules. Ce sont ses rêves qui défilent, lui remettant en tête tout ce dont elle est privée, tout ce à quoi elle avait droit : fourrure, beau garçon bronzé lui ouvrant la portière d'une décapotable, et qui sait ? Le cinéma ! Les maternités ne l'ont pas touchée, la taille est toujours aussi fine, et les varices, ces plaies des honnêtes femmes, ne l'ont pas marquée. Ses yeux sont capables d'exprimer bien plus de sentiments que son cœur maintenant ne peut en vivre. « Minable ! Marchand de rubans ! Calicot ! »

« Mon chéri, les voisins... »

« Les voisins, je m'en moque, des minables comme toi. En plus, une éduca-machin est venue ce matin me parler de ton tordu de fils, comme si j'y étais, moi, pour quelque chose ! Je lui ai brûlé sa girafe. Et alors ? C'est bien fait : à sept ans, on est un homme. Il me fait des farces : Je l'ai privé de goûter. Et alors ? C'est mon droit ! Tiens, il n'est pas rentré ! »

« Mais où est-il ? »

« Je n'en sais rien. »

René pâlit. Lui revient à la tête l'image de CloClo morte un certain soir. Il claque la porte et fonce vers le commissariat. Il y a au moins quatre heures que le petit a disparu. Quatre heures ! Tandis qu'il court, les images défilent dans sa tête : CloClo endormie, qui souriait déjà en entendant s'approcher le pas de son papa, mais elle tenait les yeux fermés, le jeu c'était seulement de les ouvrir au dernier moment. Car René, tous les matins, la cueillait doucement dans la prairie des rêves. Contre son cœur, il la portait jusque devant la porte de la salle de bains. Il l'attendait là, dehors : à six ans, une petite fille est déjà une femme. Paulette ? Elle dormait. Georges ? Il était tranquille dans son lit, les yeux ouverts. Son fils, René l'aimait bien, mais il ne le comprenait déjà pas.

CloClo était l'amour de sa vie. Un amour secret, lumineux, souvent lâche et humilié par le clan des bonnes femmes en noir : oh, celles-là, sa mère, sa grand-mère ! Celles qui savent. Ce qui se fait. Ce qui ne se fait pas. Ce qu'on dit, ce qu'on ne dit surtout pas. Les convenances : la morale, quoi. Il y a belle lurette que son père avait pris l'habitude de filer au jardin potager biner ses patates, et ne disait plus un mot. René suit le même chemin. Sauf certains soirs où l'alcool allume de grandes colères. Là, Paulette se tait. Elle se souvient du père, les soirs de ducasse, et René n'a jamais frappé, ni elle ni les petits. Mais il vaut mieux arrêter le moulin aux jérémiades... Pour Georges, c'est la fête. Les patins de feutre valsent sous le buffet. Même un jour il a mis aux ordures sa chaîne en or... Quelquefois René a les yeux brillants et un certain sourire : Paulette rentre les épaules. Georges, toujours fourré sous la table, regarde les parents partir vers la chambre à coucher. Ça, il ne comprend pas. Il entend maman se plaindre. Donc papa lui fait mal ? Pourtant, quand elle en sort, elle a l'air contente. Les grandes personnes, c'est bizarre...

René court dans la rue. Le souffle lui manque. Il pleuvine toujours autour des réverbères engoncés de manchons qui miroitent et n'en finissent pas de descendre. Paulette s'est immobilisée devant la table basse. Tout d'un coup, une évidence l'envahit : Georges est mort. CloClo, ça ne suffisait donc pas ? Elle n'a donc pas assez souffert, il faut qu'elle perde encore son fils unique. Elle qui a tué sa mère en naissant, elle doit encore payer !

Le fils, en ce moment, dort près des poubelles, grattant le sol de ses petits doigts rongés jusqu'au sang. Il marche sous le soleil. Ses pieds brûlent sur la plage de sel qui conduit à la ville dont il aperçoit les remparts au loin. Encore si loin !

Son fils est mort, c'est sûr. Paulette pense à ce qu'il faut faire : les agents vont sonner d'un instant à l'autre.. L'un aura le corps ensanglanté dans les bras. L'autre, retirant son képi, pleurant dans sa moustache, lui dira : « Madame, soyez courageuse. Votre petit garçon a traversé en regardant à droite, et il a

28

été tué par un camion qui venait de sa gauche. Il n'a pas souffert. Il est mort sur le coup ! »

Mais où vont-ils le poser ? Ça va faire des taches, le convertible risque d'être fichu. Le mieux, c'est d'aller chercher le lit de camp acheté aux surplus américains, celui où dort Georges quand les grands-parents — exceptionnellement — leur font visite. C'est son lit, en somme. Elle monte soigneusement les tubes, puis va chercher un drap blanc, un drap de sa belle-mère. Ça ferait plaisir au petit. C'est une bonne intention : Georges aimait tant sa grand-mère !

Le lit de camp est disposé le long du canapé, à trente centimètres, de manière à ce qu'elle puisse s'y asseoir, attendant les voisins pour les condoléances. Elle plie le drap en trois dans le sens de la largeur. Le pose. Casse les plis. Place aux quatre coins du lit une pomme de terre entourée de papier alu. Dans chacune elle a planté soigneusement une bougie. Les essaie. Pose les allumettes en évidence.

Il est temps de quitter sa robe indienne, son petit deux pièces noir à pois blancs sera plus convenable. Assise sur le canapé, elle espère le corps cassé de son fils.

C'est René qui entre. Lui ne sonne pas : il a la clef. « Rien au commissariat : ils ont appelé tous les hôpitaux du secteur. Pas d'enfant accidenté. » L'homme retrouve son souffle à grand peine. Paulette, bonne fille, lui verse un calva : c'est une bonne manière qu'elle lui fait. René boit d'un trait, lève la tête et comprend. Il verse un autre calva, et le boit posément. Puis, tout aussi posément, terrible, gifle deux fois sa femme, deux aller et retour qui lui font les oreilles sonnantes et la laissent stupide. René vide la moitié de la bouteille de calvados. Devant ses yeux défile la falaise enjuponnée de brume au petit matin : une fois

LA MERE ABUSIVE

CloClo l'avait tant supplié qu'il l'avait emmenée, et là, la petite main dans la grande, ils avaient longtemps regardé piquer les mouettes vers les détritus ramenés par le ressac. Il sourit, repris par la douceur de ce soleil qui se levait sur la craie mêlée de joncs. Le pauvre homme avait oublié son fils dont la mère avait préparé la mort avec tant de soins.

Georges cherche une manière de moins souffrir. La plage de sel lui rompt les os (le ciment, ça n'est pas tendre). Il est couché pour se reposer un peu. L'éléphant rose n'est pas venu. Georges doit tout seul arriver à la ville, au pied du minaret qui ressemble à celui représenté sur les timbres, quand le cousin faisait son service militaire en Tunisie. Le sable de sel est devenu de glace. Il a si froid... Il rampe entre les palétuviers qui bordent la plage, et écarte les gros troncs lisses dans le jacassement des singes et le piétinement des buffles. Perdu. Il s'est perdu. Il se relève, tâte un tronc, pousse des lianes qui le recouvrent, en lève d'autres : c'est comme un berceau creusé au cœur de l'aubier. Il s'accroche, grimpe. Vite, il entend les éléphants ! Enfin, il se laisse tomber dans l'arbre creux. Les lianes retombent avec un bruit mou et élastique. C'est bon, de se rouler en boule dans le creux d'un arbre, même si le marigot tout autour sent mauvais, comme des moules vidées...

Là-haut, la bouteille est vide. René a le regard absent, et le balancement du tronc d'un homme ivre, prêt à s'écrouler. Paulette attend le corps de Georges qui tarde. Quelque chose ne va pas comme son idée : que se passe-t-il ? Décidément, ce gosse l'aura toujours fait souffrir ! Toujours à se traîner comme un demeuré, un pantin désossé dont on ne peut pas arrêter le mouvement... et parler d'éléphants roses. Lui volant sa plus jolie chemise de nuit, pour bien lui faire sentir encore plus que la petite sœur est morte ! Décidément, c'était un monstre, ce gosse. Heureusement qu'il est mort !

Pourvu qu'il soit mort, mon Dieu ! Sinon tout va recommencer !

Dans le ventre enfin maternel d'une poubelle, Georges rêve et commence à penser. La ville est là : dans les rues ombreuses et chaudes, il rencontre une fontaine qui chante. C'est bon de boire sous le vieux platane, comme je buvais chez mamie, dans la prairie, sous le chêne. A ma droite s'ouvre une grotte où se reposent un âne et un bœuf : ils attendent Noël et ne le savent pas, les pauvres bêtes ! Moi je sais. Le port est sûrement tout en bas. A force de marcher, me voilà devant le friselis de l'eau rosie par le soleil, dans la vieille rade. Tout est calme et désert. Maintenant je sais que je ne suis pas un méchant petit garçon. Je sais que je ne suis pas un enfant fou : la dame qui venait le disait à ma maman, mais ma maman, ça n'est pas de sa faute. Non seulement elle n'a jamais grandi, mais encore elle a rapetissé depuis que Claudine est morte.

Je suis Georges, j'ai sept ans et demi, et je sens les choses. Je sens même le sens des choses. Le soleil me cligne de l'œil, rayant de feu l'eau verte. Dommage que Bambi, ma girafe, ne voie pas tout cela. Ça n'est pas que j'aie besoin d'elle, mais c'était mon amie.

Un grand bateau entre dans le port, voiles déployées comme des ailes. Il est aussi grand que le « France », immobile près du Havre : il coûtait trop d'argent à naviguer. Tout comme moi, dit ma maman. Toutes ces leçons pour rééduquer ma tête mal faite. Elle disait souvent cela, ma mère. Elle disait bien des bêtises, je crois.

Le bateau vient pour moi. Il s'amarre juste devant, là où je suis assis, au bout de la jetée. Je ne vois

31

personne à bord, tout est tranquille. C'est curieux, je ne sens pas le vent. Et pourtant les voiles sont gonflées. Ce doit être Claudine qui l'envoie, elle doit s'ennuyer. Même si c'est une fille, nous jouerons ensemble ! Rien d'autre n'était possible. Ça dansait trop dans ma tête : finalement, c'est facile de se lever et de monter. Il y a aura tous les hommes de la terre qui ont cru en Ton Amour. Il y aura même ma girafe. Et nous vivrons à l'ombre du Pommier dont les fruits d'or ont un goût d'éternité.

... Ça ne vit pas longtemps, un petit garçon endormi dans une poubelle étanche.

2.

SEVERINE

une mère abusée

*Ce n'était pas sur moi que je pleurais,
je le jure ! Je n'ai jamais été si près de
me haïr. Je ne pleurais pas sur ma mort.
Dans mon enfance il arrivait que je me
réveillasse ainsi, en sanglotant. Hélas !
J'avais cru traverser le monde presque
sans le voir, ainsi qu'on marche les yeux
baissés parmi la foule brillante, et parfois même je m'imaginais le mépriser.
Mais c'était alors de moi que j'avais
honte et non pas de lui.*

Georges BERNANOS.

SAUVEZ L'ENFANT !
Ce texte est tiré
d'un cas clinique

Ça hurle et ça gigote ridiculement. Le petit corps mince résiste dans l'eau chaude. Très chaude. Julie ricane nerveusement. Quand la peau du bébé tourne au rouge franc, elle l'empoigne par les pieds et les mains, et hop ! sous le robinet d'eau froide de l'évier. Du coup l'enfant saisie gémit comme un petit chat : elle n'a plus de forces. Deux cuillers à soupe de « sirop à cinéma » (le truc qui permet aux parents de sortir en partant tranquilles, les gosses assommés par la drogue) dans le fond d'un biberon mi-empli d'eau sucrée, et voilà l'enfant qui tête comme pour obtenir l'oubli de sa douleur.

Julie la lange soigneusement, et la range comme une poupée dans un placard : là c'est un petit lit de fer au blanc écaillé. Les draps sont propres, et même brodés. Une jolie couverture. Dame, fille-mère à seize ans, ça attire au moins la sympathie des gens bien qui s'offrent une bonne conscience. La layette de la petite Séverine est riche. Bien entretenue, ma foi.

La pièce, petite, est surchauffée par un poêle à pétrole qui sent fort. Dans un coin, un évier à l'ancienne — placard en dessous, paillasse à côté : c'est pratique pour poser la bassine. Des carreaux bleus et blancs protègent le mur. La fenêtre est juste à côté, à droite. Et les quatre carreaux sont clairs, fraîchement lavés. Julie est une fille propre.

Sur le sol, un linoléum de pauvre, usé par places : les pieds de la table couverts d'une toile cirée à carreaux y ont fait de véritables trous : preuve qu'on ne la bouge pas souvent. Julie déteste bouger les choses. Sur cette table, une cafetière, un cendrier visiblement chipé au café du coin. Au-dessus, une boule en ficelle rouge fait office d'abat-jour, et donne à la lumière une lueur de sang. Dans le petit lit, l'avorton femelle gît, assommé par la drogue, les yeux grands ouverts. Chacun des petits bras est attaché aux barreaux par une bande de vieux drap, épinglée d'un côté sur la brassière rose, et de l'autre nouée à la ferraille. L'enfant ne peut pas bouger. Mise en croix. Tout le temps.

La mère s'allonge à son tour. C'est un lit étroit qui touche quand même presque la table — la pièce fait sept mètres carrés, au maximum. Julie l'a recouvert d'un ancien rideau de peluche verte, bordé sur un côté d'une bande de tapisserie d'un jaune pisseux.

Elle regarde le plafond, comme sa fille. Il va falloir changer de médecin : le dernier en date, ne comprenant rien à ce bébé dont la peau porte de curieuses rougeurs et des plaies jamais vues dans son exercice, veut mettre Séverine à l'hôpital. Ça, il n'en est pas question. Elle restera là, dans ces murs sur lesquels l'eau qui suinte du toit trace de curieuses cartes de géographie. C'est sa fille. Sa fille ! Une fin de bal un peu agitée. Julie était complètement pétée à la bière. Ses quinze ans tenaient mal l'alcool. Deux gars l'ont bousculée derrière une porte-cochère sans lui demander son avis. Le seul souvenir qui lui reste, c'est d'avoir reçu une tarte parce qu'elle riait sans pouvoir s'arrêter quand un des deux n'y arrivait pas : l'alcool, ça casse l'homme. C'est pas des choses à faire que de le remarquer. Mais ça, elle ne savait pas.

La poisse. Plus de règles. La ceinture qui serre. Elle si mince, ça faisait drôle. Le test acheté à la sauvette chez une pharmacienne de banlieue la regardant du haut de son chignon méprisant. « C'est pour ma mère », a dit Julie sous ce regard qui l'épinglait comme sur un bouchon. Du coup le chignon s'est abaissé, et un sourire compatissant a découvert des chicots faits pour mordre.

Au premier haut-le-cœur à dîner chez ses vieux, le père a levé les yeux devant les yeux cernés presque mauve de la gamine. Il lui a demandé : « Ça y est ? » « Oui », répondit Julie. Que dire d'autre ? L'homme se leva tranquillement, comme un bœuf se lève de la paille, la prit par le bras et l'accompagna sur le palier. Puis rentra en fermant la porte au verrou. Elle entendit distinctement les deux tours claquer et se retrouva en plein vent : près de la Porte Montmartre, ces immeubles-là ont une cage d'escalier pratiquement en dehors de la construction, et on y gèle l'hiver.

Mais le pire, ç'avait été sa mère, qui n'avait rien dit : même, elle avait l'air contente que l'homme vire la petite. Lui, ce n'était pas son père, c'était celui qui l'avait élevée. Disons nourrie. Il n'était ni bien ni mal avec elle. Il ne buvait pas, ne cognait pas, faisait son tiercé comme les copains le dimanche matin. Le reste, il le vivait devant la télé, comme tout le monde. Julie, il ne la voyait pas. Ce n'était pas sa gosse. Et en plus c'était une fille. Et son cosy encombrait la salle à manger du minuscule deux-pièces cuisine perché au cinquième étage du boulevard Ney. C'était ça, Julie, pour lui. Un divan qui encombre. En quelque sorte la gamine vivait comme sur un balcon, à l'extérieur de la maison. Il avait envie qu'elle se tire. C'est tout.

La mère la haïssait consciemment : forcée par son patron, un homme marié, honorable, elle avait trimé toute sa jeunesse pour élever Julie en lui reprochant chaque bouchée de pain : qui s'indigne ne sait pas ce que c'est que trois générations de filles-mères, ce que c'est que le mépris des bonnes âmes. La haine, ça se fortifie comme le chiendent.

L'année de ses douze ans, Julie avait été réglée. Alors, tous les mois, l'œil en vrille de la mère guettait le linge, comme si c'était évident que la petite — elle aussi — devait se faire engrosser.

Tout était prétexte à lui dire qu'elle n'était qu'une vicieuse bonne à rien. C'est vrai qu'à l'école elle n'en fichait pas une rame. Mais pourquoi le jour de la Fête des Mères, l'année de ses douze ans, est-ce que sa mère avait ricané devant la rédaction que la petite avait faite en classe, comme cadeau ? Ce jour-là, le cœur de Julie s'était fendu, et toutes les blagues avaient commencé. Et des sérieuses. Non seulement à l'école on ne pouvait plus rien en tirer — fallait bien y rester à cause de l'obligation scolaire, enfin plutôt s'y faire voir de temps en temps, mais encore elle battait les garçons en adresse. Elle cassait comme un maître les réverbères à coups de pierres, emmenait tout le monde en cavale vers les terrains vagues de Saint-Denis, se laissait tripoter dans les coins par les petits copains. Et même par l'épicier quand Madame était chez le coiffeur. Pas jusqu'au bout, le bonhomme n'était pas fou ! Dame, il lui donnait des caramels qu'elle distribuait généreusement aux autres.

Julie était généreuse : elle donnait tout. Peut-être dans l'illusion que ça lui apporterait au moins la présence sinon l'affection.

Elle chapardait. Rien de grave. Puis se mit à coucher, à treize ans et demi : bof c'était plutôt, là encore, pour ne pas être laissée derrière. Elle vivait comme un garçon, c'est tout. Incroyable qu'elle n'ait pas été prise plus tôt.

Maintenant, elle rêvasse sur ce vieux plumard de la rue Bonnet, dans ce coin de Paris où, en 1978, logent les « petits blancs » réfugiés auprès de l'ancienne zone. Pas loin de sa mère, finalement. Même si cette dernière ne l'a jamais revue. C'est quand même son quartier, son monde, ses seules racines. Elle bâille et s'étire : il va falloir sortir. Il n'y a presque plus de pétrole pour le poêle. Si elle tarde, elle va louper sa copine qui passe presque toutes les fins d'après-midi à la sortie de l'atelier où elle travaille. Une copine de classe.

Elle regarde le bébé dont le visage blanc se détache dans le crépuscule. Elle y a été trop fort, ce coup-ci. Mais comme c'était bon de voir cette petite larve se transformer en écrevisse... Etendue sur le dos, Séverine regarde toujours le plafond. Muette. Julie enfile son vieux ciré noir, raccommodé par en dessous avec du sparadrap rose, jette les yeux sur le miroir à barbe accroché par sa chaînette au-dessus de l'évier, sort, tâtant son porte-monnaie dans sa poche. Elle travaille. Elle fait des cravates à domicile. Ça ne paie pas bien, mais ça suffit : la petite est entretenue par les œuvres, et puis Julie a peur de s'éloigner de son trou.

LA MERE ABUSIVE

Dehors, il bruine. L'air est doux. C'est un novembre qui sent déjà les châtaignes rôties aux éventaires des marchands de marrons, et pourtant les roses s'y sont trompé, qui ont refleuri. Julie, tout d'un coup, éclate de rire. Châtaignes rôties, bouillies... Elle rit comme une folle en pensant à son écrevisse de sept mois hurlant dans l'eau et la vapeur...

Elle cavale : non qu'elle craigne pour le bébé. Ça, ça ne risque rien tant ce dernier est ficelé. Simplement, rater la copine, ce serait bête. Puis, pourquoi ne pas la garder pour manger ensemble ? Une salade. Il reste quatre œufs. Ça ira. Aussitôt dit, aussitôt fait, bonne affaire, se dit Basile. Elle chantonne et étouffe une scarole sous son ciré ample en moins de temps qu'il ne faut pour le dire. Elle a la main, c'est vrai. Bien oui, elle vole, et alors ? Ceux qui critiquent n'ont qu'à vivre en faisant des cravates à deux francs la pièce, et puis on verra s'ils ne voleront pas, eux aussi, aux devantures ! L'honnêteté, c'est bon pour les riches et les idiots. Le pétrole, ça il faut le payer, les cigarettes aussi. L'alcool, ça ne prive pas Julie qui n'aime que les petites bières au café avec la bande. Là c'est comme un ventre chaud, dans la fumée. Elle ne boit jamais seule. Seule, elle fait ses cravates : un carton à droite pour les fournitures, un carton à gauche pour celles qui sont terminées.

Elle pense à sa soirée : ça finira comme d'habitude, avec deux comprimés d'une drogue miracle — pour les grands, celle-là — qui fait un monde cotonneux, imprécis, sans hauteur ni épaisseur (sauf à se cogner dans les tables ou à se retrouver par terre). Deux comprimés, ou trois. Les pharmaciens lui vendent, sur sa petite mine préoccupée de maman que son bébé réveille la nuit. « Vous comprenez, il faut bien que je me rendorme. Je travaille tôt... »

Elle fait toutes les pharmacies du quartier avec

une ponctualité de postière comme une paysanne irait traire ses vaches. Ça ne coûte pas cher. En plus le temps passe vite comme ça. « Que la vie passe vite, pour ne pas avoir à mourir », murmure-t-elle, et s'entendant s'arrête, interdite de sa phrase.

Drôle de phrase. Elle ralentit le pas, pense à la crevette qui la tire le matin d'un sommeil douceâtre dont elle se réveille la bouche mauvaise. Quatre mesures de lait Guigoz, de l'eau tiédie, une cuiller à soupe du sirop miracle, et zou ! L'enfant changée et tartinée de pommade là où la peau se décolle se retrouve au sec, amarrée dans le berceau. Au fond l'enfant était trop abrutie pour souffrir beaucoup. Mais ça, ça embête Julie, d'y penser. Le vent de cette soirée d'automne soulève ses cheveux ; les boutiques parlent déjà de Noël, et tout d'un coup elle serre les poings dans ses poches, pendant que deux grosses larmes lui chatouillent le nez. Voilà enfin le marchand de couleur. Elle l'a échappé belle. Elle allait s'attendrir, et ça c'est fini. La vieille boutique sent le pyrèthre et le camphre. Les propriétaires se font vieux. Ils l'ont connue toute petite et bizarrement Julie n'a jamais rien volé chez eux. Elle les respecte. Sans doute parce que, quelquefois, elle a hérité d'un beau crayon rouge et bleu, ou d'un cahier neuf. Comme cela, par gentillesse.

Les deux litres de pétrole soigneusement enroulés et rangés dans le petit filet qui ne la quitte pas, elle rebrousse chemin, alourdie par la mort de cette petite fille qu'elle a été. Elle est devenue un monstre, et elle le sait. Elle porte cela. Elle ne peut s'empêcher d'essayer de faire cuire Séverine. C'est une idée folle et fixe. Grimpant les marches avec la misère du monde accrochée à son dos, elle passe la porte : Françoise est là, la clef restant exprès sur la serrure. Sa copine essaie de faire des chatouilles à la toute petite chose qui a toujours les yeux ouverts, toujours tournés vers

41

le plafond, et à vrai dire Françoise ne comprend pas pourquoi le bébé est ainsi ficelé dans son lit. Mais c'est l'affaire de sa mère. Il y a une sagesse à se taire, quelquefois. D'autres diraient : une lâcheté. Et les deux jeunes femmes commencent à jacasser comme des poules soûlées par le marc un soir de vendanges...

Omelette et salade engrangées dans les estomacs, Françoise rentre chez ses parents. Julie se retrouve seule dans son lit, les yeux au plafond, les comprimés dans la main droite. Que lui est-il arrivé ce soir, cette subite horreur d'elle-même et de sa vie, la force à laisser en elle défiler les images de ses souvenirs ? Donc son beau-père de la main gauche l'a mise dehors tranquillement. La nuit s'approche. Alors, le plus simple, c'est l'armée du Salut : mais là c'est plus fort que sa peur du noir : ces bonnes femmes, avec leur petit chapeau de la Saint Glinglin et leurs chansons débiles, ça ce n'est pas possible. Julie repart, le nez au vent, remontant vers son quartier. Au passage, elle regarde les annonces placées dans les vitrines : immédiatement son œil accroche la vitrine d'une charcuterie où on demande une employée.

Par le carreau déjà recouvert de buée, elle regarde : la patronne à la caisse a une perruque frisée comme une poupée. Toute menue elle rend la monnaie d'un geste précieux, et sourit comme une gargouille. Une vraie caricature ! Le patron, lui, est un gros homme sanguin où la tête s'accroche directement sur les épaules. Pas de cou. Julie sait ce que ça signifie comme besoin de bâfrer et de coucher ! Alors elle entre : elle peut tirer quatre mois avant de devoir se trisser en maison maternelle. Bien sûr, elle s'adresse au patron avec un certain sourire, et tout va vite. Le soir même, ele mange. Elle a un lit, et le patron dedans. Il a si peur d'être pincé par sa bonne femme qu'il fait vite. Tout part. Mais la fois d'après, quand il sent la petite enceinte, il a un large sourire. Plus besoin de se gêner ! Du coup, tous les prétextes sont bons pour en jouir. C'est ça ou la rue : Julie ne sait pas qu'elle peut être recueillie dès maintenant. Les assistantes sociales, il faut au moins aller les voir. Ça, à part les mendigots professionnels, le peuple n'a pas l'habitude. Tout ce qui est officiel fait peur. Et si on la bouclait en maison de correction ? Sa mère l'en a tellement menacée ! Alors elle continue de subir l'haleine et le sexe de ce gros bœuf qui souffle en la prenant par derrière, comme une chienne : des fois qu'elle ferait une fausse couche chez lui ? Pas de blague, il faut faire attention au gosse qui se fabrique là. Pas un rond : être payée à la fin du mois et si peu, ça emprisonne mieux que des cordes. Alors elle se laisse faire. Quand la patronne réalise — même chez une fille mince, cinq mois ça fait une drôle de bosse — elle lui donne son compte, sans un mot.

La nuit est venue. Julie fume, entraînée par son passé. L'hôpital, la maternité où elle s'est abattue : un lit propre, un bon sourire, une bonne nuit. Quelques jours, puis la maison maternelle.

C'est une de ces maisons de maîtres qui parsèment la France, étrangement semblables dans toutes les régions : même pierre, même fenêtres à meneaux, même corps de bâtiments à deux étages flanqués des communs. Un porche ouvre sur la grande cour pavée, et tout est clos de hauts murs qui grimpent sur la colline, délimitant les bois. Les meubles sont beaux, anciens. Les parquets luisants comme une vitre sont en point de Hongrie. Mais le dortoir est gai comme une cage d'oiseau. Toutes sont dans des trucs impossibles qu'elles se racontent. C'est plus marrant que le cinéma.

Bien sûr, la discipline tient plus du service militaire que du Club Méditerranée. Mais c'est bien, aussi, de redevenir une petite fille, de dire « Oui, madame, non, madame » à ces femmes qui sont vraiment chouettes avec ce troupeau de « brebis égarées ». Ça Julie n'invente pas. Elle l'a entendu. C'est vrai qu'il y avait pas mal de putes plus ou moins en cavale (surtout dans leurs têtes, d'ailleurs, la cavale, mais quoi, ça leur faisait plaisir de faire des projets). C'est sûr que le prêchi-prêcha sent la bonne sœur en civil. Puis il y a certains gilets de laine tricotés à la main, certains talons plats prolongeant des bas de coton qui ne trompent pas un œil exercé. Mais il y avait beaucoup de bonté. Là Julie s'épanouissait comme une fleur japonaise dans un verre d'eau. Et crac, une nuit, voilà que ça se durcit dans son corps. Comme du bois, comme une crampe qui l'aurait enserrée en tournant autour d'elle. A l'hôpital ça a duré deux jours : dame, Julie est étroite. Le bébé n'en mène pas large, paraît-il, et la mère est épuisée. Dans le sommeil qui la prend, au début de l'anesthésie, elle entend : « Sauvez l'enfant d'abord ! »... Puis elle émerge en hurlant : les forceps inévitables maniés dans l'urgence avaient tout fait craquer. Et allez donc ! On la rendort, et on la recoud à la va-vite tant le médecin a peur pour le cœur. Comme une volaille qu'on trousse pour passer au four. Ni rien ni personne n'est personne, mais à dix-sept ans Julie est infirme de ce sexe massacré : à la seule idée d'approcher un homme, elle en a le frisson. Et puis cette phrase ! Ah oui, Séverine est sauvée. Et elle, Julie ? Sacrifiée, une fois de plus. Elle quitte la maternité la haine au cœur pour ce tas de viande pisseux qu'elle n'a pas voulu et qui lui coûte trop cher.

La petite piaule au loyer infime lui a été trouvée par l'assistante sociale : un peu de sous — un secours d'urgence — permet d'acheter quatre meubles. Puis ce travail, lui aussi procuré par la société. Vraiment, cette dernière a fait le maximum. Tout le monde est satisfait. Au suivant !

44

Julie lève son verre, sur un coude. Au moment de boire, elle regarde vers le berceau. Quelque chose ne va pas, est différent. Elle observe, intriguée. L'enfant a réussi à tourner la tête vers sa mère, elle qui se laissait aller sur le dos comme une poupée de chiffons, a bougé, et la regarde entre les barres. *Séverine la regarde.* Il y a un être humain porteur de toute la souffrance du monde, dans ces yeux de sept mois ! Julie n'ose presque plus respirer. Ces yeux implacables et doux la transpercent jusqu'à ce cœur qu'elle croyait mort. Elle ne peut plus supporter ces yeux. Elle va chercher comme une tornade ses grands ciseaux, et coupe les liens qui ligotaient l'enfant. Elle la prend, l'enroule dans la couverture, dégringole les escaliers en hurlant, sort dans la rue, arrête un taxi qui l'emmène saisi de pitié devant le désespoir de cette mère et se retrouve aux urgences à l'hôpital où on lui prend fermement l'enfant à laquelle elle s'accrochait.

Hébétée, Julie regarde ses mains. Elles ne sentent pas bon. La petite s'est vidée. Elle touche avec précaution la couverture rose, comme si quelque chose de l'enfant s'y était attardé. Mais l'enfant n'est plus là. Réalisant tout d'un coup elle regarde autour d'elle. Personne ici ne sait qui elle est : les gens s'occupent de sortir Séverine d'affaire, et ont pensé à tout autre chose qu'aux renseignements d'état civil. Pour ça il y a le temps.

Elle fonce et repasse le portail laissant l'enfant sans surtout vouloir penser à ce qui risque de se passer. Elle court dans la nuit, monte les marches sans répondre aux voisins qui, apitoyés, la laissent se barricader dans la petite pièce. Debout, à côté de la table, se tenant au berceau vide, elle est comme abrutie. Comme si elle débarquait tout d'un coup dans un cauchemar commencé on ne sait pas quand. La bassine, l'eau froide et tout ça, elle ne sait plus ce que ça fait, dans sa tête. L'enfant qu'elle craint morte a payé pour elle, comme elle a payé pour sa propre mère, et c'est un tournis dans sa tête de cette cascade de souffrance...

Les yeux de Séverine. « Pourquoi me persécutes-tu ? » La phrase lui est venue comme ça, du loin de sa première communion. Ce n'est pas deux comprimés, ni quatre, qu'elle avale. Mais quinze : tout ce qu'il lui reste. Le lendemain soir Françoise cogne, surprise de ne pas voir la clef sur la porte. Rien sauf, en tendant l'oreille, comme un ronflement. Les voisins lui racontent la nuit d'affolement : bien sûr, c'est clair. On appelle les pompiers. Un énorme lieutenant fonce avec la bouteille à oxygène, et Julie, sous le masque, entourée d'une couverture grise, file dans la petite voiture rouge à toutes pompes vers l'hôpital.
Elle se réveille dans un lit. Des tuyaux la relient à un tas de bocaux. Elle a encore du mal à voir, mais tout d'un coup elle réalise qu'elle s'est loupée. Elle n'a même pas assez de force pour arracher leurs saloperies de tuyaux ! L'infirmière qui la voit remuer lui dit : la petite va bien, surtout restez calme. Reposez-vous.

La petite va bien. Curieusement cela l'apaise, et elle ne se laisse pas couler dans le sirop. Eh oui, Séverine va bien : elle pose une colle à toute l'équipe du service pédiatrie, mais ça, c'est accessoire. Elle aussi a eu des tuyaux partout. Sa mère est dorlotée dans le service. Une gosse, pensez donc ! Si bonne mère qu'elle a voulu mourir quand la petite était en danger... même l'assistante sociale, très brave femme, qui a de l'amour à revendre autant qu'elle a de poitrine (ça fait beaucoup) lui propose de l'accompagner en taxi voir la petite encore hospitalisée. Julie hurle : « Non ! »

SEVERINE

L'assistante sociale s'étonne : « Pourquoi ? » Julie frissonne de peur. Elle est acculée. Elle fait son petit sourire triste et dit : « Parce que j'ai peur d'avoir trop de mal de la laisser... » Ouf ! Les deux sont soulagées, mais pas pour les mêmes raisons. L'une retrouve son système « rose bleu et noir » de la femme-enfant-qui-est-bien-malheureuse-mais-qui-a-bien-du-mérite, et l'autre échappe à la trouille mortelle de s'être vendue.

Le lendemain matin, les voilà parties dans la brume où les phares des voitures tracent des routes. Le taxi traverse une petite place transformée en étoile par cinq rues — l'hôpital s'étouffe entre deux d'entre elles — et s'engouffre sous le porche. Encore molle, Julie donne le bras à la dame : après avoir eu le renseignement concernant l'endroit où est Séverine, elles y vont. Le bébé vient tout juste de finir son biberon, rit d'aise dans les bras d'une jeune puéricultrice... Tout d'un coup l'enfant voit sa mère à travers la vitre : Séverine s'arc-boute en arrière, en hurlant comme une bête qu'on égorge... Personne n'y comprend rien, sauf Julie qui tourne les talons comme une automate.

Les jours ont passé. Elle sort de l'hôpital. Et son premier geste avant de retirer son ciré, c'est d'écrire à Bretonneau qu'elle leur laisse Séverine. Elle l'abandonne. Puis elle se laisse aller sur le divan toujours aussi miteux. Deux jours après, dès potron-minet, une infirmière du secteur psychiatrique rapplique, craignant que la jeune mère ne déprime sec car c'est ce que semblent indiquer la tentative de suicide, puis l'abandon de l'enfant. Mais Julie se montre plus agressive que dépressive. Pas moyen d'en tirer une explication. Le plus sage, comme elle est mineure, c'est de trouver une solution d'attente pour l'ensemble du problème. Julie accepte d'entrer dans un Foyer de Jeunes Femmes. L'odeur de cire de la maison maternelle lui revient au cœur. Elle ne supporte plus la chambre aux cravate, l'évier à la bassine...

Pendant la visite médicale qui est de règle à l'entrée, prise d'une impulsion subite, elle demande à la femme médecin qui fait ce travail de l'examiner à fond. Hélas Julie est bien en dessous de la vérité des choses : son sexe est ravagé par les cicatrices boursouflées. Les semaines passent, comme dans un collège, là où elle n'est jamais allée. Cuisine, coupe, sténo, dactylo. Elle travaille comme une bonne : jamais elle n'a été si docile. Ici, elle travaille pour elle, et tout le monde la respecte. Oui, la respecte.

Elle commence à rire, comme une enfant. Elle n'a jamais pu être vraiment une enfant. Alors ça lui fait du bien. La voilà majeure : on lui pose la question de sa fille. Sa fille ? Quelle fille ? La rue Bonnet ? Quelle rue Bonnet ? Vaguement lui revient le souvenir d'avoir voulu mettre le feu à une piaule infecte, un vrai cauchemar... Prise de panique, elle signe l'abandon de l'enfant, des deux mains ! Séverine qu'espéraient un couple de parents adoptants, très braves gens au demeurant, sort de sa vie.

Dans un studio tout neuf, Julie achète un divan, une table, avec une toile cirée dessus. Elle travaille à la poste. Et aux dernières nouvelles un homme plus âgé qu'elle s'entête à lui faire la cour... Julie est repartie à zéro, se sauvant comme elle pouvait de son propre passé, laissant à Séverine une chance de vivre là où elle était attendue et où on allait savoir l'aimer.

3.

EVA

une mère supérieure

*J'ai compris que j'ai mal agi à ton égard.
Au lieu de t'offrir ma tendresse, je t'ai
accueillie avec des exigences... En dépit
de tout, j'espère que je n'aurai pas découvert cela pour rien... Il faut que tu
comprennes que je ne te lâcherai plus
jamais, que je ne te laisserai pas disparaître de ma vie ; j'irai jusqu'au bout.
Je ne renoncerai pas si c'est trop tard.
Il ne faut pas que tout soit trop tard.*
                                            Ingmar BERGMAN.

VINGT-QUATRE HEURES POUR LE VAMPIRE
Ce texte est une interprétation du scénario de « Sonate d'Automne ».

Le crépuscule est doux, il est à peu près quatre heures de l'après-midi ; le matin le soleil avait du mal à se hisser sur l'horizon ; curieux endroit, le nord de la Suède, où le soleil monte et descend le long d'un escalier invisible.

« Maman ! dit le petit garçon, tu te rappelles le jour où le soleil n'a pas voulu se coucher ni moi non plus ? Tu sais, la nuit où il ne fait pas nuit, celle où le soleil a rendez-vous avec le monsieur à la hache ? »

« Oui, mon chéri, je me souviens bien. » La jeune femme sourit, se sentant ramenée deux ans en arrière, ce soir précis de juin où le soleil couchant touche l'horizon pour remonter immédiatement après. Viktor, son fils sur les épaules, raconte l'histoire de la statue de pierre, un bûcheron qui abat sa cognée juste là où frappe le dernier rayon du soleil, le premier du jour qui se lève : tous les gens des environs sont là, c'est un grand pique-nique ; les couleurs des choses et des êtres se fondent dans une somptueuse palette où tous les gris sont représentés : le mercure, le plomb, l'étain ; il y a même de l'or. Le petit Erik, cramponné au cou de son papa, avale le monde en écarquillant les yeux. Il assiste pour la première fois au début de l'été.

Maintenant c'est l'automne ; dans le grand parc où l'herbe est soigneusement tondue entre les pierres qui la parsèment, les hauts sapins veillent, paternellement. L'hiver ils chantent dans le vent ; en ce moment, ils se taisent, comme attentifs au dialogue.

« Maman ! » « Mon chéri ? » « Maman, dis à mamie Charlotte de venir ; tu sais bien qu'elle ne me connaît pas, et puis son ami Léonardo vient lui aussi de partir au jardin ; et puis elle est vieille, et puis elle est seule, et puis... » Eva rit, la petite main frôle sa joue, insistante... « Oui, mon chéri, tu as raison, je lui écrirai dès que nous serons à la maison.

La jeune femme secoue la tête, chasse ses souvenirs, serre autour de son corps ce manteau gris qui prend l'allure d'une couverture, puis se met en route, quittant le cimetière où son fils est enterré depuis près de deux ans.

Le presbytère où le couple habite est à une quinzaine de minutes à pied. Les colonnes lisses des bouleaux portent une voûte d'ombre que la nuit a insensiblement bâtie. Le froid devient vif ; Eva presse le pas, son cœur se met à cogner, elle ne sait quelle menace est suspendue au-dessus de sa tête ni quel regard méchant la guette entre les arbres, la voilà qui se met à courir vers la cheminée devant laquelle son mari l'attend. Viktor est le pasteur du village.

C'est long, trois bonnes heures d'horloge, ça fait du temps pour brasser les idées. Lena, la petite sœur infirme dort au premier. Viktor rêve dans le silence ; adossé au vieux piano rougi par les flammes, il regarde la cheminée sans la voir. Il n'a pas allumé le lampadaire.

Entre la pauvre chose terne dont les yeux immenses l'avaient cloué au cœur, et cette femme, maintenant devenue une ombre, il a existé une jeune mère épanouie, rieuse de sentir le petit bouger dans son ventre : l'enfant avait permis à sa mère de renaître. Ou de naître, songe Viktor en curant sa pipe : avoir Charlotte comme mère et Joseph en guise de père, comment Eva et Lena auraient-elles pu naître véritablement ? Quand on pense que cette grand-mère là n'a pas pu trouver le temps de venir embrasser le bébé entre deux concerts, tout comme elle n'a pas vu ses filles depuis sept ans ! Et encore, la dernière visite de Charlotte a été dramatique : à peine assise, elle claironne en regardant Eva que sa sœur vient d'être placée dans une maison pour malades chroniques : les étranges crises qui la secouent font qu'elle ne peut pas rester seule ; et elle, Charlotte, a sa vie. Le nouveau beau-père, Léonardo, se tait, gêné. C'est délicat, pense Viktor ; si Eva a interdit qu'on parle de Léonardo devant Lena, c'est qu'il y a eu quelque chose qui n'est pas clair. Le fait est que Léonardo a filé sans demander son reste ; mais Charlotte, remontant en voiture, s'est retournée en souriant comme on découvre des crocs.

A leur grand ébahissement, eux qui vivaient ensemble depuis six ans et songeaient à adopter un enfant, ils voient arriver la grossesse d'Eva. Immédiatement après cette visite-éclair. C'est incompréhensible.

Levant les yeux vers la baie nue, il aperçoit Eva

dans la lumière du réverbère qui éclaire l'allée : elle détale, poursuivie par un invisible hallali.

La voilà, elle se jette dans ses bras, elle est glacée... doucement il la conduit vers le grand canapé de cuir, devant le feu ; il lui retire ses bottes noircies par l'eau, puis tient bien serrés les pieds fins dans ses grandes pattes : une maman fait comme cela pour son petit, Eva est tellement aussi sa fille ! La respiration de la jeune femme se calme peu à peu ; elle revient, il sait trop bien de quel pays, hélas, celui de l'amour qui unit ceux qui s'aiment, vivants et morts ; elle en rapporte comme le reflet lumineux des cheveux pâles de l'enfant ; lui Viktor, n'y a pas accès. Son ministère ? Il débite à ses paroissiens des paroles mécaniques pendant qu'en lui un grand rire de dérision l'assourdit : parlons-en, de ce dieu qui laisse un petit garçon de quatre ans arracher les planches solidement clouées sur le vieux puits, et s'y noyer ! Le pasteur ne croit plus en rien sauf en Eva, elle qui a le petit encore vivant dans sa tête. Sombre, il reste agenouillé sur la grande fourrure rêche aux pieds de sa femme ; tout d'un coup c'est un très vieil homme qui porte la souffrance du monde sur les épaules.

Une main se glisse dans ses cheveux grisonnants : il lève la tête, le fin visage a retrouvé son sourire : « Viktor, Erik trouve que nous devrions inviter maman ! C'est vrai, d'ailleurs, elle ne le connaît pas. » Joignant le geste à la parole, la jeune femme se lève, grimpe l'escalier comme une chevrette, entrebâille la porte de l'infirme et, rassurée par le souffle léger de sa sœur qui sommeille, entre à pas de loup dans sa propre chambre pour y écrire à l'aise.

Inviter Charlotte, pourquoi pas, au fond ? Mais le pasteur sent en lui monter l'angoisse : si sa belle-mère a fourré Lena dans un mouroir pour riches ça n'est pas pour sauter en l'air de joie en la retrouvant ici. Elle ne sait pas que l'aînée a offert à sa cadette de venir vivre avec eux, presque immédiatement après la mort du petit. Eva soigne sa sœur comme si cette dernière était un tout petit bébé, la cajole, la lave, la fait manger, la gronde... Lena semble heureuse, même si ses crises sont de plus en plus violentes et de plus en plus rapprochées : son corps se tord affreusement en arrière comme un arc, elle hurle comme une damnée et perd connaissance ; Eva arrive toujours à la calmer, que ce soit le jour ou la nuit ; de même qu'elle seule peut comprendre la parole presque inaudible de la malade.

Léonardo vient de mourir ? Peut-être que Charlotte a froid au cœur ; si toutefois elle a un cœur. Le pasteur se gourmande de son manque de charité, mais Charlotte le glace dans tout ce que sa femme lui a raconté de sa propre vie. D'autant que de lui offrir l'hospitalité sans l'avertir de la présence de Lena c'est la replacer dans une réalité qu'elle a fui il y a sept ans ! L'existence de sa deuxième fille est condamnée. Terrible « Coda » que la pianiste va devoir rejouer !

A penser au loup on en voit le bout du nez : sa femme redescend, toute rose : du coup, l'éternel col blanc sur l'éternelle robe grise n'arrive plus à enlaidir le drôle de visage mince ; derrière les lunettes cerclées de fer, les yeux sont vastes comme des lacs de montagne tout pailletés d'or. « Je peux te lire ma lettre, Viktor, je ne te dérange pas ? »

« Tu ne me déranges jamais, ma chérie ! » Que cela crispe Viktor, cette habitude qu'a Eva de demander tout le temps l'autorisation de vivre : il n'est pas un ogre ! C'est agaçant, à la fin.

Le petit nez se fronce comme quand Eva avait quatre ans et qu'il fallait apprendre à lire.

LA MERE ABUSIVE

« Agnès m'a appris que Léonardo est mort ; ma chère petite maman ! Comme cela doit être terrible pour toi... J'ai téléphoné à Paul, il m'a donné ton adresse... notre piano à queue est un bon instrument et tu pourras travailler tant que tu en auras envie... Ma petite maman, dis que tu viendras ! Nous pourrons te gâter de mille et une façons ! »

Ça y est, Eva a un pauvre de plus, la voilà partie pour materner aussi sa mère mais celle-là c'est une sale bête : Eva elle-même dit que si Charlotte a des insomnies, c'est pour lui retirer des forces, de manière à ce que les autres puissent lui échapper. Toujours la charité chrétienne ; mais comment en avoir vis-à-vis de cette pieuvre ? Tout en tirant sur sa bouffarde, il hoche plusieurs fois la tête en signe d'assentiment, comme un magot chinois. Erik veut, Eva veut, ainsi soit-il. La présence de Lena dont les crises se rapprochent malgré le dévouement de sa sœur, est un poids intenable, surtout sur leur vie de couple : l'infirme est allongée juste derrière la cloison qui sépare les deux chambres ; c'est vrai que, de là, elle peut voir le paysage, sa seule distraction. La tyrannie du petit garçon était douce, celle de Lena devient insupportable : aussi Viktor rêve à une Charlotte bourrelée de remords qui reprendrait son enfant en charge et l'emmènerait bien loin, les laissant, Eva et lui, enfin tranquilles et, qui sait, avoir un autre enfant ? Hem, ça ne ressemble pas à Charlotte, de reconnaître ses erreurs.

Eva lui a raconté qu'à dix-huit ans, elle était enceinte d'un garçon, Stefan, dont elle était très amoureuse ; bien sûr, ils étaient trop jeunes mais quand on fait un petit et qu'on s'aime, on peut s'en sortir, on a du courage ! Charlotte a imposé l'avortement. Eva a vécu quelque chose là de si abominable qu'elle a craqué et

56

s'est retrouvée internée dans une clinique psychiatrique ; quant à Stefan, il s'est mis à boire ; une nuit, tout à fait ivre, il est entré chez les parents d'Eva par une fenêtre, pour leur dire des choses... ça n'a pas raté, Charlotte l'a dénoncé aux policiers. C'est comme cela qu'elle fonctionne, la chère femme.

Quand Eva est sortie de clinique, elle est entrée dans un grand silence ; la maladie s'en est mêlée et, heureusement : une tuberculose grave lui a permis de quitter sa famille. Là, elle a commencé à écrire. Viktor porte gravées quelques phrases dans son cœur : « Il faut apprendre à vivre, je m'y exerce tous les jours ; mon plus grand obstacle : je ne sais pas qui je suis, alors je tâtonne comme une aveugle. Si quelqu'un m'aimait comme je suis, peut-être oserais-je me regarder en face. »

Surprise, la jeune femme regarde Viktor enfoui dans ses souvenirs : l'ombre est descendue sur ce visage d'habitude si clair : « Viktor, tu ne veux pas que j'invite Charlotte ? » Dans sa surprise, Eva a appelé sa mère par son prénom, chose qu'elle ne fait jamais : c'est à se demander même si le mot de « maman » ne lui tient pas lieu de mère.

« Mais si, ma chérie : je pensais simplement que, par rapport à la présence de ta sœur, nous tendons à ta mère un guet-apens : c'est cela et rien d'autre. Je me demande comment cela va tourner. »

Songeuse, Eva approuve : c'est vrai que cela risque de faire des bulles ; mais de quel droit supposer Charlotte assez inhumaine pour rejeter totalement Lena ? Si elle l'a placée, ce n'est pas pour s'en débarrasser, mais parce que les concerts l'envoient réellement aux quatre coins du monde et, dans une existence pareille, il lui est impossible de veiller sur sa fille grabataire ; la preuve, c'est que depuis sept ans elle n'a pas davantage vu ni Eva, ni Viktor, ni Erik ! Eva tisse devant son mari l'image d'Epinal d'une mère nouvelle manière, esclave de la célébrité, toute dévouée à son art et privée de sa vie de famille. Elle a besoin de rêver, de reconstruire l'image de sa mère en l'idéalisant. Viktor ne peut rien objecter car c'est vrai, ausi, que Charlotte se persécute elle-même dans une recherche incessante de la perfection, que l'on retrouve dans toutes ses interprétations. Bon, allons-y pour l'auréole.

Les jours passent depuis que la lettre est partie : un matin le téléphone sonne, Charlotte accepte, elle arrive à la fin de la semaine. Le samedi, le jour du cimetière, c'est tout un programme, pense le pasteur qui n'a pas désarmé.

Quatre jours, seulement quatre jours pour préparer tout ! La maison vit dans une espèce de griserie : Eva monte, descend, essaie des coiffures nouvelles à sa sœur : elle lui a acheté une chemise de nuit jaune pâle qui donne à la jeune malade une allure de poussin égaré dans de la crème... Et la chambre destinée à Charlotte ! Eva range, dérange les romans policiers, le somnifère habituel, les biscuits préférés ; tout y est. Le vendredi matin, une rose blanche dans un verre : c'est joli, cette fleur sur la tapisserie safran du mur. C'est tellement joli qu'Eva grimpe admirer le tout dix fois par jour : elle y traîne même Viktor ; de voir sa femme heureuse, le brave homme respire un peu mieux. Tapotant l'édredon, la fille aînée recommence le plaidoyer pour la mère terrible. « Quand maman s'en allait jouer au loin, c'est comme si à chaque séparation je me sentais mourir : en dehors de sa présence ma vie s'arrêtait, tu comprends ? C'est réel, d'ailleurs, toute la maison se mettait en veilleuse ; papa était bon, mais lui aussi traînait comme une âme en peine ; il jouait aux échecs avec un oncle, buvait du cognac avec un autre, mais tout était gris : confortable et éteint. Quand j'étais triste,

il m'emmenait au cinéma ou m'achetait une glace :
vraiment, Viktor, tu crois, toi, que c'est en offrant
des choses qu'on console une petite fille qui se meurt
de peine ? » Le pasteur en convient ; le brave homme
de père n'a pas fait le poids. « Remarque, quand
maman s'est mis dans la tête de vouloir vivre " sa belle
vie d'épouse et de mère ", ça a été horrible. Ça l'a pris
le soir d'un concert où le public avait été poli, sans
plus : le vieux chef d'orchestre lui a conseillé carré-
ment de dételer. »

Du coup, Charlotte a retourné la situation en s'installant dans un personnage de mère parfaite : toujours à l'écoute de ses filles ; les pauvres ne pouvaient
pas seulement respirer sans être sommées de dire
pourquoi et comment et ce qui leur manquait plus
ce qu'elle aurait dû faire ! Ce regard inquisiteur et
tellement compréhensif ! En y repensant Eva sent
le froid la gagner : lui revient l'image du vieux psychia-
tre en blouse blanche chez qui la mère l'a traînée,
quand elle avait treize ans et s'enfermait dans le
mutisme.
Mais à lui, qu'est-ce qu'elle avait raconté, comme
choses ! N'importe quoi ! Cette maladie que sa mère
lui supposait, il fallait bien qu'elle l'invente.

Heureusement que Charlotte s'est lassée la première : elle a filé avec un bel idiot nommé Martin ;
ça a duré six mois ; la situation aurait été assez
confortable s'il n'avait pas fallu consoler le pauvre
Joseph, lui raconter sempiternellement la même
antienne parlant du retour de sa femme, lui lire les
lettres drôles, pleines de vie qu'elle envoyait. Pleine de
vie... le bébé avorté, Joseph mort subitement, Erik,
mort en tombant dans le puits, personne ne sait
comment, maintenant Léonardo... la mort, la mort !
Eva pousse un hurlement de bête qu'on égorge et

se précipite dans les escaliers comme on se tue :
Viktor la suit à toute allure, il y avait bien longtemps
qu'une crise comme celle-là n'était arrivée ; Eva se
débat, le cou tendu vers le vide, arrachant le col de
sa robe, tombe et se relève, essayant de desserrer
l'espace qui se coagule autour d'elle au point de déjà
toucher sa peau : son mari l'a saisie à bras le corps
et la maintient contre lui de toutes ses forces : elle a
besoin d'être reprise dans l'étreinte d'un corps chaud
qui donne au sien des limites justes, réelles ; il serre
le plus fort possible ; la tête pâle tombe sur son
épaule, comme un tout petit se niche. « Là, mon oiseau
bleu, n'aie pas peur c'est fini, c'est moi, personne ne
peut te faire de mal »...Tout en la berçant presque, il
l'entraîne sur le divan devant le feu.

Décidément l'image de Charlotte réveille de bien
cruelles blessures. Eva ouvre les yeux : elle sait, elle,
le vrai remède ; une action qui la relie à elle-même et à
sa vie. Pas n'importe quelle action, celle qui l'accroche à la seule plage indiscutable de lumière chez sa
mère : le piano.

Comme une somnambule, elle s'assied sur la banquette basse capitonnée de cuir rouge, ouvre l'instrument ; une vieille édition imprimée à Leipzig l'attend,
un prélude de Chopin, toujours le même, sur lequel
Eva s'escrime : elle veut le jouer devant Charlotte,
entendre enfin de la concertiste que là au moins elle
est sa fille ! A part lui, Viktor pense que c'est cela,
le motif caché de l'invitation : obtenir un verdict qui
soit une reconnaissance.

Les notes coulent. Lena, là-haut, est heureuse : elle
non plus ne désespère pas du ventre qui l'a faite.

Le samedi matin, l'aînée saute du lit de bonne
heure : Charlotte a annoncé son arrivée pour l'après-
midi, mais il faut du temps pour s'habiller le cœur.
Lena appelle : lui passer la chemise de nuit neuve et

la coiffer. L'aînée bout d'impatience, elle en danse-
rait de joie mais devant l'infirme, ce n'est pas une
chose à faire ; alors Eva saisit du papier de ménage,
la bouteille d'alcool à brûler et la voilà en train de
frictionner les vitres de l'escalier.

Tendant le cou dans le jour qui se lève, elle vérifie
soigneusement qu'il n'y a plus de reflets : tout d'un
coup elle est saisie : une Mercedes cahote dans
l'allée ; une vieille dame en descend, qui regarde le
contenu du coffre d'un air piteux.

Il faut plusieurs secondes à Eva pour réaliser que
c'est Charlotte arrivée en avance, selon sa fantaisie.
Sept ans ont fait que cette dernière a changé de
génération, sa fille en a le cœur ému : elle descend
quatre à quatre les marches et ouvre les bras tout
grands. Viktor, flegmatique et cordial, saisit les bagages avec le sourire habituel aux portiers des grands
hôtels.

Charlotte, Eva, le groom d'occasion : le cortège
arrive au salon. Poser les valises, asseoir la belle-mère
sur le divan, bourrer sa pipe : le tout demande un
instant. Elle a changé, la bonne femme ; les cheveux
teints, elle doit boire sec pour avoir un visage tellement
bouffi, un cou noyé de graisse au point que sa tête
paraît posée directement sur ses épaules. Perplexe,
Eva aussi regarde sa mère.

Du coup, cette dernière se sent mal : perçue comme
elle est et non comme elle voudrait être, les griffes lui
sortent : elle parle, parle, raconte des histoires, surtout la mort de Léonardo ; a-t-elle du courage ou bien
fait-elle semblant ? En tout cas, Charlotte essaie de se
faire admirer en examinant ses vis-à-vis : c'est ça, son
Eva, cette robe grise au petit col monacal, cette tête
de chèvre à lunettes ? Charlotte éclate de rire juste au
moment où elle racontait le plus pathétique de l'agonie

de son ami : Eva, surprise, sourit. « Maman, tu n'as pas changé ; tu dis des choses pendant que tu penses à d'autres ! » Pourtant elle a des larmes dans les yeux ; sa mère, émue, cesse un peu de parler d'elle ; elle questionne sa fille et son gendre sur leur vie : Eva, encouragée, lui dit combien elle est satisfaite des soirées qu'elle organise dans la paroisse : elle joue du piano en s'arrêtant après chaque mouvement pour expliquer les sentiments de l'auteur ; ça fait un peu tranche de rôti, pense *in petto* Charlotte ; du coup, voilà la mère partie sur ce qu'elle a fait de semblable en Amérique, mais à une tout autre échelle. Ça y est, la compétition a redémarré. Viktor tend le dos. Eva s'entend dire sans l'avoir décidé : « Maman, Lena est ici ! »

Charlotte se glace : elle se sent prise au piège : or, c'est vrai qu'elle n'a pas reçu la lettre où Eva disait que Lena préférait vivre ici plutôt qu'à la clinique. Eva ricane : « Tu ne l'as pas lue, tout simplement ! » Quelque chose sort d'elle qui cherche à faire du mal.

La femme bien vieillie monte pesamment les marches : Eva suit, terrifiée de sentir en elle-même une telle violence. Viktor avait raison, ça va être bien difficile.

La mère pousse la porte de la chambre de Lena : la voilà contre la malade avec quelque chose qui est de la tendresse, l'infirme radieuse ne s'y trompe pas ; mais Charlotte ne comprend pas le langage déformé de sa fille : l'aînée traduit : Lena rit : il paraît qu'elle rassure sa mère, et que vraiment cette dernière en a assez fait pour aujourd'hui : qu'est-ce que cela veut dire ? Est-ce un souci pour sa fatigue, ou une accusation de feindre ses sentiments ? Charlotte est perdue : Lena dit une phrase, du coup la mère : « Ça, j'ai compris, chérie ; tu dis qu'il y a un papillon qui cogne à la vitre ! » Lena blêmit, la bouche ouverte : Charlotte en a le souffle coupé : que veut donc dire cette phrase que Léonardo lui a fait promettre de répéter à Lena, comme un adieu ?

Renversée sur ses oreilles, les yeux clos, l'infirme se revoit il y a dix ans, aux vacances de Pâques où le beau-père, qu'elles ne connaissent pas encore, accompagne leur mère : ils doivent passer une huitaine de jours avec les deux filles. Lena, tout juste gênée par la maladie qui commence, est jeune, jolie, elle a tant envie de vivre ! Léonardo la regarde, elle le découvre. Le dîner de ce Jeudi Saint est très heureux : tout le monde rit et parle à la fois. Lena et Léonardo sont restés ensemble tard dans la nuit : il l'a embrassé. Le lendemain matin, il l'emmène en voiture faire une grande balade. Les voyant revenir, la mère crie, depuis le téléphone où elle est pendue comme d'habitude : « Dis bien merci à Léonardo ! » Lena pouffe, disant que décidément pour sa mère elle sera toujours une enfant : elle sait bien, la jeune fille, que depuis vingt-quatre heures, ça n'est plus le cas. Des amis viennent le soir ; tout le monde boit trop, surtout Léonardo ; il sort son violoncelle, très ivre, joue longtemps, divinement mal. Charlotte et sa fille aînée vont prendre un peu l'air sur la digue ; Léonardo est resté près de Lena : sur le grand divan de cuir une biographie de Mozart est ouverte entre eux, comme était posée l'épée entre Tristan et Iseult. Les deux femmes en rentrant les ont retrouvés à la même place : visiblement Léonardo a pleuré. Il est tellement soûl qu'Eva l'aide à rejoindre la chambre où Charlotte est déjà montée : il lui dit en riant : « Regarde, il y a un papillon qui cogne à la vitre ! » En souriant, la jeune fille redescend ; sa sœur risque de peiner à monter seule. Elle s'arrête, subjuguée : le visage de la jeune fille est transfiguré par l'amour comme celui d'une sainte de vitrail. L'anecdote du papillon lui redonne un sourire d'enfant.

LA MERE ABUSIVE

Le lendemain, Charlotte ne dit rien, elle agit : la tempête de neige empêche les avions de décoller ? Elle trouve un passage sur un bateau : elle laisse Léonardo en guise de médicament pour la malade et elle le dit ! C'est abominable. Cet homme ne sait plus quoi faire, il devient odieux ; le lendemain, après une bonne demi-heure de conversation téléphonique avec sa femme déjà arrivée à Genève, il s'en va comme un voleur. La biographie feuilleté à deux reste ouverte sur le divan, à la même page. Lena fait cette nuit-là la première des crises qui l'épingleront désormais sur son lit.

La jeune fille revient à elle : sa mère médusée la regarde : comment lui dire qu'il s'agit d'un message ? C'est impossible, le regard d'Eva est brûlant de haine ; cette dernière pousse presque brutalement sa mère dans la chambre préparée avec tant de soins.

Charlotte ne suit pas : pourquoi cette phrase plutôt idiote a tellement secouée les filles ? Pourquoi est-elle vécue comme coupable ? Qu'est-ce qu'elle a fait, ou oublié de faire ? Pourquoi cette douleur au fond d'elle-même qui va la replonger dans les larmes de la dépression traversée il y a trois ans ? Non, surtout pas ça ! Plutôt penser à Bartok, oui, c'est cela : il est si dur à attraper, ce deuxième mouvement... Charlotte met immédiatement en musique toutes ses souffrances : rien ne paraît laisser de traces en elle. Mais Eva, cette pimbèche ! Surtout ne pas traîner ici longtemps : la seule chose à faire, se faire rappeler par Paul ; un agent qui s'occupe des tournées, ça peut avoir des contrats imprévus, non ? Et puis elle va les faire tous enrager : elle, la veuve toute fraîche, elle va mettre une robe rouge : le jour de ses vingt ans, elle avait aussi une robe rouge, et l'orchestre s'est joint au public pour lui faire une ovation interminable ; la robe était en coton, maintenant celle qu'elle a apporté sort de chez Dior. Charlotte a soixante-quatre ans.

Lorsqu'elle descend l'escalier, reposée, maquillée, éclairée par la couleur chaude de sa robe, elle redevient plus que belle : divine.

Le dîner comme d'habitude est envahi par le téléphone mais, honnêtement, se demande Viktor, si cette femme ne veillait pas de si près sur ses intérêts, qui le ferait pour elle ?

Raccrochant l'appareil elle va vers le vieux Steinway, comme attirée par un aimant : assise à son tour sur la banquette, ele l'ouvre, religieusement ; doucement le calme revient en elle : ces gens-là ne réalisent pas à quel point elle crevait de peur de les revoir ; Eva ne veut pas, ne peut pas entendre que sa mère est capable de souffrir : les yeux bleus sont toujours hostiles. Ils la condamnent, implacablement ; la faire jouer, c'est ça, faire jouer Eva !

Cette dernière se récuse : elle en meurt d'envie tout en en ayant une frousse bleue : ça y est, Viktor s'en mêle ! Coincée, Eva s'exécute. La musique l'emporte : tout le morceau se passe sans une seule faute. C'est bien, ce n'est pas beau.

Levant le nez vers sa mère, elle lui voit les larmes aux yeux : « Maman, tu as aimé ? »

« C'est toi que j'ai aimée, ma chérie ! »

Ça y est, le couperet est tombé et ça fait mal, très mal.

En Eva la marée monte, furieuse : Charlotte n'aime pas sa façon de jouer, mais de quel droit est-ce qu'elle la condamnerait sans s'en expliquer ? Eva ne vaut pas la peine qu'au moins les critiques soient motivées ?

Charlotte sent que le destin lui donne une chance : celle-là, elle ne la ratera pas ; si Eva joue les persécutées au moins là elle se retrouvera dans le réel ; il ne s'agit plus de rivalité mesquine, il s'agit de l'art.

Tranquillement, humblement, la mère explique, cherche ses mots : ce que veut faire passer Chopin dans ce prélude c'est sa douleur, non du sentimentalisme.

Charlotte se tait. Elle regarde le clavier puis sa fille, sans la voir : son visage porte un mystérieux et douloureux sourire. Elle joue à son tour le prélude : Eva se tait, domptée. Sous les doigts de sa mère, les Portes qui quelque part séparent les morts des vivants se sont ouvertes : Eva sent Erik qui respire à côté d'elle, ses petites mains accrochées à son bras : il écoute sa grand-mère, le petit garçon ; s'ils ne le voient pas c'est parce que le corps rend infirme : on ne voit bien qu'avec le cœur.

Là-haut un cri, des gémissements : Lena commence une de ses crises qui la tordent comme un arbre se noue ; sa sœur s'est précipitée, Charlotte suit plus lentement. Mais c'est vers sa mère que Lena tend les bras. Ça Eva ne peut pas le supporter... quand l'infirme est calmée, les deux femmes redescendent au salon et, devant le pasteur muet, tout y passe. Charlotte sent que sa fille la hait, oui, la hait ! Comment se faire comprendre d'elle, lui dire qu'elle est devenue vieille, mais ne se sent pas plus exister qu'autrefois ? Que seule la musique lui donne une âme ? Qu'elle a le cœur infirme et qu'au fond, elle n'est jamais née ?

Le matin, après une nuit blanche, la mère fait sa valise en reniflant ses larmes. Eva l'a pratiquement jetée dehors. Viktor a replacé les bagages dans le coffre, en silence. Charlotte monte en voiture, le visage décomposé. Les gris et les noirs des arbres dénudés dessinent une estampe japonaise.

Eva n'est pas sortie de la maison. Assise sur l'escalier, elle voit partir la vieille voiture qui tangue dans les flaques. Tout d'un coup, assise sur l'escalier devant

EVA

la même fenêtre d'où elle a vu la veille arriver sa
mère, Eva sent la honte l'envahir : l'infirme, elle, n'a
pas demandé de comptes : elle a accueilli, elle a aimé.
Charlotte ne s'y est pas trompée : Lena n'avait que
de la douleur, pas de rancune. Charlotte porte la mort
dans ses bagages, oui ; sa seule humanité est la musique, oui, mais elle, Eva ? Qui est-elle pour condamner
sans appel ? L'artisan de son propre malheur.

---

1. Qui a décloué les planches du vieux puits, le jour où Erik a
refusé de manger avec sa mère ?
2. Vite, une lettre : c'est ça, porter une lettre qui attendra Charlotte à son arrivée :
« Maman, j'ai compris que j'ai mal agi à ton égard... Au lieu de
t'offrir ma tendresse, je t'ai accueillie avec ma vieille haine... j'ai
compris soudain que toutes ces vieilles choses étaient mortes, que
plus jamais je ne te laisserais seule : je ne renoncerai pas, même si
c'est trop tard. Il ne faut pas que tout soit trop tard. »
1. ou 2. Au lecteur de choisir la fin de l'histoire car il est difficile
de dire ce que Bergman sous-entend. Mais qui aurait décloué les
planches sinon Eva ? Eva écrasée par la supériorité et le talent de sa
mère depuis toujours, cherchant désespérément à l'éblouir ou à lui
plaire, devenue désormais incapable de partager une affection avec
quiconque...

4.

VIOLETTE

une mère exclusive

Mon enfant, Ma sœur,
Songe à la douceur
D'aller là-bas vivre ensemble !...
Vois sur ces canaux,
Dormir ces vaisseaux
Dont l'humeur est vagabonde ;
C'est pour assouvir
Ton moindre désir
Qu'ils viennent de bout du monde...

Charles BAUDELAIRE.

INCESTE, PARRICIDE, QUI A DIT LA VERITE ?

Ce texte a pour point de départ l'hypothèse esquissée par Claude Chabrol dans le film tiré de l'ouvrage de Jean-Marie Fitère, « Violette Nozières ».

Rien, pas un bruit, sauf son cœur qui cogne.

Il est 1 h 30 du matin ce 22 août.

La gamine de dix-huit ans vient de grimper sur ses bas les six étages. Sur les tommettes rouges du minuscule palier, elle marque un temps, hésitant devant la porte de l'appartement familial. Hier soir, elle est partie pour ne plus revenir... Comment ses parents ont-ils avalé son départ ? L'Autre attend en bas, près de la longue Talbot bleue.

A l'intérieur, rien ; peut-être, en tendant l'oreille, un souffle qui se cherche dans la salle à manger, au bout du petit couloir.

Violette décroche le rideau tiré sur la porte d'entrée et le remet devant la fenêtre. La lumière de la cuisine éclaire bien assez : le corps tout ratatiné de sa mère se devine auprès du buffet Henri II ; tout près, à le

71

toucher, le lit cage où d'habitude dort la jeune fille. En ce moment c'est le père qui occupe le lit. Froid comme de la pierre.

Elle se fige, interdite, drapée dans sa robe de bal : la mort est passée et ça, vraiment ça n'était pas au programme...

Descendre et demander l'aide de « l'Autre » ? C'est ça, demander à « Monsieur Emile » ; comment va-t-elle faire, elle, avec ce mort sur les bras ?

Allant et remontant au pas de course après un trop bref conciliabule, la petite, comme dans un cauchemar, commence un curieux ballet.

Il faut les trimbaler dans leur lit, ces deux-là ; bon, la distance ça va encore, le couloir est petit ; mais les soulever, les basculer dans leur lit, ça va être une autre paire de manches...

Quel drôle de travail ! S'armant de courage, elle allume le plafonnier aux tulipes roses. Le père est aplati, le bras gauche en dehors du lit ; il semble calme, mais c'est réglé pour lui depuis un bon bout de temps. La mère, allongée tout près du sol, souffle en respirant : on dirait qu'elle fume la pipe ; deux filets de salive coulent aux commissures de ses lèvres. Réprimant un haut-le-cœur, la jeune femme l'attrape par les pieds et la traîne de l'autre côté : la tête ballotte ; la peau du crâne est un peu fendue. Elle n'est pas tellement lourde, mais longue comme un jour sans pain : la soulever, la faire rouler sur le lit, la déshabiller, glisser le corset sous l'oreiller, tapoter l'oreiller et installer doucement la tête de la dormeuse.

Hors d'haleine, Violette fait une pause sur le fauteuil de la salle à manger : devant ses yeux, le corps de Baptiste. Il a vomi partout ! Pas possible de laver tout ça, ça paraîtrait bizarre ; mais jusqu'au bout il aura été lourdaud : brave homme, bon mari, papa poule, ça oui, mais quel minable ! Il aura raté jusqu'à sa mort. Violette ne veut plus y penser car, c'est bien évident, elle ne peut pas être la fille d'un type pareil.

Deux heures du matin, Mayeul, le voisin de palier, sursaute, brusquement tiré de son sommeil : dame, le médecin le trouve trop nerveux et lui prescrit un somnifère à cause de sa tension. Des coups de poing ébranlent la porte. C'est la voix de la petite d'à côté : « Venez vite, ça sent le gaz, j'ai peur d'un malheur ! » Le brave homme enfile pantalons et charentaises ; encore une histoire ! Déjà en mars, un début d'incendie incompréhensible, des gens qui crient après leur petite. Pourtant ils font les fiers à cause d'elle : elle est jolie, ma foi. Mayeul sort sur le palier : la gamine, en robe « de la haute », a tout l'air de rentrer d'une soirée au lieu d'être dans son lit ! Ses yeux sont mangés de violet et elle a l'air complètement paniqué : en tremblant, elle tend les clefs.

Il ouvre : c'est vrai, ça pue le gaz. Retenant sa respiration, il fonce comme il peut vers la cuisine, ferme à tâtons les robinets de la cuisinière, se tourne vers la fenêtre qu'il ouvre... Au bout d'une minute, il allume l'électricité. Rien, le compteur est fermé : toujours à tâtons, il va l'ouvrir — c'est facile, dans les logements modestes, tous les compteurs sont placés au même endroit.

La fille vacille, elle va s'évanouir : il la pousse dans les bras de son épouse, qui passait sa tête par la porte palière ; en un tournemain, Violette se retrouve assise dans l'appartement d'à côté.

Lui explore, où sont donc les voisins ? A droite, ça respire : il commence donc par la chambre ; la mère est au lit, semblant dormir profondément.

A gauche, aussi rapidement que lui permet sa patte folle, il fonce vers la salle à manger. Plus mort que son vieux copain Baptiste, ça n'est pas possible. Rebroussant chemin, ahuri par le tableau, il descend réveiller la concierge en rauquant de tout son emphysème. Casser la glace de l'avertisseur d'incendie du coin de la rue de Madagascar, montrer le chemin aux pompiers qui n'arrivent pas à ranimer la mère et l'emmènent en vitesse à l'hôpital Saint-Antoine. Dans le hurlement de la sirène, en tournant un peu la tête, il voit comme dans un rêve un homme qui attendait en bas monter dans une voiture sombre et démarrer... Mais quelle importance ?

La concierge, brave femme sans enfant, dorlote la jeune fille qui sanglote à s'en rendre malade : le commissaire Guillaume, pris de pitié, offre à la presque gamine de venir la chercher demain (il est près de quatre heures du matin), pour aller embrasser sa maman à l'hôpital : seulement douze heures à attendre : de quoi faire un bon somme ; là, vraiment, les comprimés du père Mayeul sont les bienvenus !...

Le policier et la jeune fille franchissent le porche de l'hôpital : immédiatement conduits devant la porte de la chambre de la mère, le fonctionnaire entre le premier en demandant à Violette de l'attendre ; elle, ballant des jambes comme une enfant, examine le triste cadre, les yeux gros de sommeil. Les minutes passent, passent... Tout d'un coup, son cœur se met à battre la chamade : sa mère peut parler — qu'est-ce qu'elle est en train de raconter ? La mise en scène du suicide à deux, ou bien celle du père déprimé voulant mourir avec sa femme tant la fugue de la fille l'avait secoué, ça tombe à l'eau !

Terrifiée, la gamine se lève d'un bond ; elle fonce comme une bête qui verrait s'entrebâiller un piège. A ce moment, nous sommes encore le 23 août, dans l'après-midi, à l'heure où le commissaire, plutôt brave homme, n'en mène pas large en interrogeant cette femme à laquelle il a commencé par annoncer qu'elle était veuve. La pauvre ne se souvient de rien, sauf de s'être laissée partir dans un trou noir, d'une douleur à la tête... et juste avant, la petite l'a aidée à allonger son mari pris d'un malaise, et à le déshabiller... Puis plus rien. Elle ne se souvient plus de rien avant d'avoir ouvert les yeux ici, à Saint-Antoine.

Laissée enfin seule, Germaine songe aux mille francs épinglés dans la poche de son corset, à l'armoire fracturée. Depuis six mois c'est l'enfer. Germaine est enfin tourmentée au plus profond d'elle-même, à ce fol amour pour son enfant, cette passion aveugle qu'elle a vécue en se bouchant les oreilles et les yeux. Rabrouant son pauvre Baptiste à la moindre critique... Elle sortait ses crocs comme une louve. Mais Baptiste est mort. Alors comment aurait-il pu ouvrir le gaz pour qu'elle et lui meurent ensemble ? *Donc Violette ment.*

Mais jusqu'où ment-elle ? Pourquoi ce double empoisonnement ? La petite aurait-elle voulu les tuer ? Tous les deux ? Tous les deux ? Défaillant devant cette idée que Violette, le seul grand amour de sa vie aurait voulu la tuer, Germaine se laisse glisser. La lanterne magique de sa mémoire fait défiler les images : Neuvy, petit bourg s'étalant paresseusement au bord de la Loire, réchauffé par des collines douces ; ses parents, braves gens : mais quelle idée de la marier avec un joueur invétéré. Elle s'en sépare un an plus tard et la voilà travaillant à Paris, indépendante enfin. Elle rencontre en 1913, à vingt-cinq ans, Baptiste, qui en a vingt-neuf : mécano sur loco, c'est un voyageur permanent du rail. Brave type, un peu quotidien, et bientôt elle va s'installer chez lui dans le XIIe arrondissement. Le divorce de Germaine est prononcé en janvier 1914. Le couple se marie en août 1914, à Neuvy.

Le souvenir du printemps de cette année-là fait sourire Germaine dans son demi-sommeil ; un soir d'avril, près du grand bassin où les bateaux perdus au centre arrachaient à leurs petits propriétaires des hurlements de rage, Germaine souriait. Elle regardait ces gamins de riches traînés sans ménagements par leurs bonnes, avec une sensation de faim qui la tenait au ventre : plaisir, enfant ? les deux, peut-être. Elle est libre, Germaine ; elle n'a encore rien juré à Baptiste ; et puis sa vie lui appartient, les autres en ont assez disposé. Elle est subjuguée par Monsieur Emile. Soit. Elle décide de lui céder. De cette soirée, de cette nuit, rien ne transpirera, c'est son secret à elle, son conte de fées où les rêves de luxe de la petite paysanne qu'elle était restée avaient été comblés. Quelle joie quand elle est grosse ! Son enfant serait protégée par ce père puissant ; même marié, on peut faire beaucoup pour un enfant et, « Monsieur Emile », dans sa position ! Impossible, même au lit, là où en principe les distances sociales sont réduites, de l'appeler autrement que « Monsieur Emile » : l'homme illustre en avait tant ri qu'il en avait failli capituler à la porte de la forteresse.

Bien sûr, il lui avait promis de l'aider si, dans la vie elle avait des ennuis ; elle était charmante, avec cette fraîcheur de jeune fille qu'elle avait conservée ; alors il lui avait donné son identité. Et sa carte. Mais peut-être bien qu'il n'en attendait pas tant : un enfant, ça n'est pas une charge simple. Il savait que Germaine était incapable de mentir et que Baptiste ne pouvait pas être le père. Monsieur Emile ne pourrait que veiller dans l'ombre. Baptiste pourrait s'appeler Auguste, le brave homme, tant il est le clown d'une histoire bien banale. Après le mariage en août, viendra en janvier 1915 la naissance d'une petite Violette. D'août à janvier, « Hum ! » fait le vieux curé. Germaine éclate d'orgueil devant ce bébé ; enfant de l'amour, c'est sûr, mais personne ne saura jamais duquel. Les images défilent, incoercibles. Baptiste est promu et attaché à la gare de Lyon. Toute la famille émigre rue de Madagascar. La petite pousse comme un champignon, pourtant Germaine l'envoie chez sa propre mère bien souvent ; Baptiste en souffre, il aime ce bébé rieur et superbe. On dirait que sa femme n'a pas envie qu'il s'y attache. Et Baptiste repart, guettant le petit mouchoir blanc que Violette agite quand, séjournant chez sa grand-mère, elle peut saluer son papa de cœur qui fonce, dans la grande loco noire qui gronde et fend l'air du crépuscule...

Rien n'est trop beau pour la petite ; Baptiste n'a pas voix au chapitre et chaque fois qu'il veut donner son avis sur l'éducation de Violette il se voit vertement remis à sa place par Germaine qui en devient méchante. Les autres ont tort ; ils sont jaloux. Ils ont raison : au fond d'elle-même, elle caresse le nom célèbre comme on suce un fondant et gratte déjà des sous pour assurer l'avenir de sa petite princesse.

A élever l'enfant dans le mépris des gens qui travaillent durement pour vivre, économiser, se hisser progressivement dans la hiérarchie sociale, Violette se sent bien vite différente, puis exceptionnelle ; de ce que tout lui soit promis, tout lui devient dû. Le peuple commence à gronder dans l'ombre des années 30 mais elle, vraiment, elle est d'une autre race ; le plaisir lui est dû, l'argent, il lui en faut, elle ne veut pas attendre, elle ne peut pas attendre. Comme tous ceux qui ont été pris dans la réaction suivant toute grande tuerie, ce qui est important, c'est de jouir : tout, tout de suite, peu importent les moyens.

Pourtant la quantité invraisemblable de maladies que la jeune fille s'était offertes pendant son enfance, quand elle était encore une enfant modèle, aurait dû donner à penser que le creuset familial n'était pas en ordre : la mère, dans sa sollicitude dévorante, exaltée, fabrique dans la tête de son enfant un univers de Bibliothèque Rose où tout est dû aux gens bien nés un monde magique où demander suffit pour recevoir quand, comme Violette, on a une telle origine.

Comme par miracle, à sa formation, l'adolescente éclate de santé : elle s'en sert tant qu'elle peut. Pendant l'été, à Neuvy ses treize ans font des ravages. Elle est superbe.

A Paris, à l'école Sophie Germain, Violette fait ses mots pour expliquer ses absences de plus en plus nombreuses. Germaine tombe sur le pot aux roses : après une grande séance de cris, de pleurs, de repentirs et de baisers collants, Germaine se rassérène et n'en dit pas un mot à Baptiste. D'ailleurs, le malheureux ne peut rien dire. Sa femme sort les crocs en le regardant d'un œil de marquise foudroyant son chauffeur. Violette a son premier amant à seize ans, un été au bord de la Loire. A la rentrée, l'école ne tient pas à la reprendre : qu'importe, elle ira à Voltaire. Nous sommes en octobre 1932. Mais elle ira plus souvent prendre un autre genre de leçons, données par un de ses amants. En avril 32, elle va consulter à l'hôpital Bichat un brave homme de médecin, le docteur Déron. Celui-ci découvre que Violette a la syphillis. Le lycée Voltaire la renvoie. Violette raconte qu'une prétendue cabale s'est déclenchée contre elle : ses parents la croient. La pauvre chérie est si jolie et si intelligente, c'est certain qu'elle entraîne des jalousies. Les professeurs sont des vieilles filles desséchées et haineuses, tout le monde sait ça. La rentrée 1932 se fait à Fénelon, au quartier latin : ça commence mal, Violette vole un dictionnaire. Du coup, les parents osent élever le ton. Un bon chantage au suicide fait par leur mignonne enfant les met dans tous leurs états pendant vingt-quatre heures. Du coup, ils s'écrasent. Jusqu'au moment où, en janvier 1933, la mère enfin, ne peut pas ne pas réaliser les mensonges incessants de sa fille. Elle l'inscrit alors à des cours par correspondance et l'enchaîne moralement à son petit bureau comme on tient attaché un chat coupé avec une ficelle. Le résultat est immédiat : jamais Violette n'a été aussi charmante. Les interminables parties de belote, faites sur le pied du petit lit cage où elle dort dans la salle à manger, occupent les soirées. Elle sort juste pour aller à l'hôpital, deux fois par semaine. Maintenant la sœur du docteur s'intéresse à son cas et Germaine est fière de cette amitié.

Au mois de mars 1933, le docteur Déron convoque le père et révèle l'origine des migraines de Violette. Le père est atterré. Un certificat de virginité le trompe, mais Germaine ne se fait pas d'illusions. Le drame éclate ce soir-là, rue de Madagascar... La petite fait patte de velours au point de faire le café le lendemain matin à ses parents. Le café est tellement amer qu'il est imbuvable. Dommage aussi que le docteur Déron n'ait jamais eu de sœur... Dans sa torpeur, Germaine gémit. C'est deux jours après qu'elle a eu ce malaise ; bizarre, ce médicament envoyé par le docteur Déron et remis par Violette pour la contagion. Bizarre, cet incendie dans la nuit, juste le lendemain du printemps 1933. C'est vrai que la petite s'anémie : Germaine sacrifie le brave Baptiste et part avec sa fille chez son beau-père, dans le Midi. Le retour fin juin les laisse comme deux pensionnaires rentrant en prison, en rechignant.

Violette a changé : son corps élancé a pris un arrondi, une plénitude de femme comblée. Germaine enrage autant qu'elle est inquiète : même si elle coud et fait de son mieux les chapeaux de sa fille, qui permet à Violette de tant dépenser ? La prostitution ? La mère a un hoquet. Non, pas ça, son côté de femme pratique ne croit pas la gamine assez stable, assez calculatrice pour ce genre de commerce. Alors ? Un amant riche ? Germaine préférerait cela. Mais elle craint que ce ne soit ce trop célèbre père, ce Monsieur Emile qui, flatté par la beauté, la classe de Violette, tente de lui ravir son enfant maintenant que tout le travail est fait. Et le soir d'avril 1914, au Luxembourg, lui revient en tête. Les rendre malades, son mari et elle, pour que la petite ait prétexte à prendre son indépendance... Ce n'est pas possible que la petite ait voulu les tuer : Baptiste, maladroit jusqu'au bout, est mort par erreur...

La pauvre femme se laisse couler dans le sommeil avec cette explication qui, les jours plus tard, recoupera bien des détails inexpliqués. Pendant que la veuve berce son chagrin, Violette s'est réfugiée à l'hôtel de la Sorbonne, rue Victor-Cousin. Roulée dans les draps du grand lit, elle pense à ce 17 août où Jean et elle veillés par leur image renvoyée par l'armoire, n'arrivaient pas à se rassasier de leurs deux désirs toujours renaissants... Souvenirs. Violette s'étire comme une chatte ; ses orteils rougis jouent aux marionnettes : c'est une gosse au fond. Mais elle a tué : la malchance a voulu que Baptiste ait eu le foie et les reins fragiles. Au lieu d'être sérieusement malade, de cracher tripes et boyaux, son cœur a lâché. Le sonénal est vendu sans ordonnance : c'est banal. Il fallait chiper les sous que la mère, devenue méfiante, cachait dans son corset, et trouver dans l'armoire la paie de Baptiste : Jean avait besoin d'argent, et elle voulait Jean, elle voulait partir en vacances avec Jean. Mais tuer les parents, sûrement pas ! Seulement les rendre malades : elle ne pouvait pas s'empêcher. C'était sa manière à elle de cogner sur les barreaux de la cage ; les secouer un bon coup, comme la nuit où en plus, elle avait mis le feu, comme cela, pour voir. Et le coup du café, et le vin blanc bu avec les voisins ; Enfin qu'ils passent la main, les Nozières ! Elle a dix-huit ans et son vrai père, dans l'ombre, de gré ou de force assurera son mariage avec Jean. Et voilà Baptiste qui meurt, bêtement. Elle n'a pas le choix ; en quittant l'hôpital à toutes jambes, elle a pensé à téléphoner à « Monsieur Emile » qui lui avait offert à déjeuner dix jours avant. Demandant à réfléchir, il l'a rappelée à l'hôtel pour lui dicter une ligne de

défense dont elle ne doit s'écarter sous aucun prétexte. Sinon, s'il y a scandale, s'il est compromis,
elle tue du même coup la poule aux œufs d'or. Violette est arrêtée le 27 août.

Forte de ce qu'elle a promis à Monsieur Emile,
elle confirme au commissaire Guillaume qu'elle a
voulu réellement tuer son père, qu'elle ne savait pas
que le soménal était à peu près inoffensif sauf mauvais
état général, mais qu'elle a veillé à ce que sa mère
ne puisse courir de danger. Elle a voulu tuer
Baptiste Nozières parce que depuis sa formation, il
l'a contrainte à des relations sexuelles. Elle s'est tue,
n'osant en parler à sa mère, de peur que celle-ci, déjà
très éprouvée par sa surdité croissante, ne puisse le
supporter.

Violette ajoute que, régénérée par son amour partagé pour Jean, voulant se marier au plus vite, elle
ne pouvait plus supporter les attouchements obscènes
du père qui la coursait dès que sa femme tournait les
talons... Depuis la mi-juillet, l'idée de supprimer ce
père ignoble qui, mis au courant de ses projets de
mariage, ne voulait pas arrêter, ne pouvait pas la
lâcher ! Tout ce qu'il avait trouvé, c'est de vouloir
lui payer une voiture ! Jour et nuit, l'idée de meurtre la poursuivait, envahissant toute sa tête.

Et elle est passée à l'acte le soir du 21 août, après
une bagarre monumentale.

La confrontation entre la mère et la fille est abominable. Violette découvre ce qui peut s'appeler tout
autant de la haine que du désespoir. Sa mère est
devenue une ennemie implacable qui risque de la
pousser jusque sous le couperet de la guillotine :
c'est quelque chose qu'elle n'avait pas prévu.

Supposons un instant, quant à nous, que Violette,
au lieu de se sauver de l'hôpital ait attendu de voir
sa mère seule et qu'elle lui ait dit tout bêtement :
« Maman, je ne supportais plus de vivre emprisonnée,

j'aime trop Jean ; tu sais bien que c'est un mariage comme celui que tu voulais pour moi, et que je ne t'aurais jamais quittée. J'étais en cage, maman, comme ta mère qui t'a mariée à seize ans en te mettant en cage... Alors, j'en avais assez ; je voulais que, lassés, vous me laissiez vivre ma vie, partir, quitter ce sixième où même toi tu étouffes : tu es faite pour une autre vie ! Tu sais bien que tu as gâché ta vie, avec Baptiste, tu me l'as dit et redit. Le cœur de papa a lâché : je te jure, maman, que c'est un accident. J'ai été affolée et ai pensé que le coup du gaz ça passerait peut-être. J'ai si peur que les gens fouillent dans ta vie et apprennent ce que nous deux seules nous pouvons savoir : le nom de mon véritable père. Le fait que ma mère, une divorcée, vivant en concubinage avec un brave homme, se soit fait faire un enfant par un autre un soir de printemps et s'est tue, laissant le brave type l'épouser quatre mois plus tard... Tu voulais que je te laisse traiter de putain ? Alors dis comme moi, et tout se passera bien. Le commissaire Guillaume a l'air d'un brave homme, il comprendra. Et nous ne nous quitterons plus, maman ! »

Qu'aurait répondu la mère, ne se sentant pas innocente elle-même, ni étrangère au curieux tempérament de son enfant ? Elle aurait certainement étouffé son désir de vengeance. Hélas cette explication n'eut pas lieu et Germaine, trahie, se laissa aller à sa douleur, déballant le vieux linge sale, matraquant Violette à boulets rouges. Ainsi se transforma en haine cet amour exclusif et excessif, au point que Violette hurlait de détresse, pendant les interrogatoires, appelant sa grand-mère à son secours...

Mais il est impossible de refaire l'histoire et le drame de la passion mère-fille éclata au grand jour, défrayant la chronique d'une époque peu initiée aux mystères de la psychologie et peu encline à réfléchir sur les responsabilités de la mère d'une meurtrière.

VIOLETTE

Le 5 septembre, le beau Jean qui aimait l'argent facile, signifie la rupture à Violette par l'intermédiaire de son avocat, Mᵉ de Vesinne Larue qui comme Mᵉ Gérard a accepté cette défense peu banale. Avec cette énergie qui ne la quittera jamais, Violette sur-le-champ, rédige la version des faits qui entremêle artistement le vrai, le vraisemblable, le faux, l'impossible même.

Violette affirme que, persécutée par ce père incestueux, elle a cherché à le supprimer en rendant sa mère juste assez malade, sans doute pour qu'elle ne soit pas soupçonnable. D'ailleurs elle ne sait plus. Elle ne voudrait surtout pas mentir à la justice ; simplement elle ne sait plus. Le père s'est senti mal, elle a aidé sa mère à l'allonger sur le lit cage de la salle à manger, puis elle a été prise de nausées : sa mère lui a ordonné d'aller se reposer dans la chambre des parents, à l'autre bout du couloir. Se relevant pour vomir, elle a aperçu ses parents allongés l'un près de l'autre sur le lit cage, ronflant de concert. Alors, prise de ces impulsions à fuir qui lui sont familières, elle est partie, espérant ne jamais revenir, mettant ainsi ses parents devant le fait accompli.

Mais voilà : elle n'a pas pu s'empêcher, le lendemain 22 dans la nuit de revenir voir ce qui se passait pour sa mère : n'entendant rien, elle s'est affolée, a ouvert le gaz pour faire croire à un accident, puis a immédiatement prévenu les Mayeul. Entrant avec eux, elle a couru vers la chambre où sa mère se reposait : celle-là ouvrant les yeux lui a dit combien elle avait été malade, au point de venir se coucher là, en chemise de jour, laissant Baptiste dormir sur le lit cage dans la pièce à côté. En somme, elle avait passé près de vingt-quatre heures dans une demi-somnolence. Puis la mère avait replongé dans une espèce de coma dont les pompiers n'avaient pu venir à bout... Le salut de Violette ne reposait que sur l'indéfectible soutien que sa mère lui avait toujours témoigné jusque-là : or la mère attaque et démantèle. Elle affirme que sa fille a sûrement voulu la tuer elle aussi, pour hériter des 180 000 francs qu'elle savait être à la banque ; et puis il y a aussi des sous d'une grand-mère... Elle affirme que, dans la nuit du 22, à l'arrivée de Mayeul, elle n'a pas parlé à sa fille, sa fille ment d'un bout à l'autre. Qu'est-ce qui s'est passé dans la tête de Germaine ? Violette ne comprend plus, toute son enfance, elle a entendu sa mère rembarrer Baptiste, le traitant quasi ouvertement de pauvre type, entretenant sa fille dans l'idée de lendemains qui danseraient. Qui a parlé à Violette de sa filiation, de son père archi-célèbre ?

Qui lui a donné la possibilité de rencontrer cet homme ? de lui soutirer de l'argent ? Qui, sinon elle. Germaine. Tout d'un coup cette dernière se met à défendre l'honneur de ce pauvre brave homme qu'elle a tant de fois humilié ; elle avait le mépris à usage interne, familial, Germaine. Salir Baptiste, mais c'est aussi la salir elle, déjà exploitée par son premier mari, abandonnée par ce type de la haute qui a tout l'air d'avoir pourri Violette, la montant contre sa mère. Dire que Baptiste et Violette... La mère étouffe. Elle rougit pourtant en repensant à ces matins où elle surveillait la toilette qu'elle imposait à Violette, tous les jours ; la bonne odeur du savon à l'eau de Cologne passait jusqu'au père, bavardant avec elles en restant de l'autre côté de la cloison ; mais qu'est-ce qu'on va dire d'elle ? Si les gens apprennent que Baptiste n'est pas le père de Violette, la version des relations sexuelles imposées par Baptiste devient encore bien plus vraisemblable ; Violette s'en sortira très probablement, et l'autre, dans l'ombre, qui attend !

Le 16 septembre, Germaine essaie, par juge interposé, de faire avouer à Violette qu'elle n'a pas agi seule ; d'ailleurs le concierge, dans la nuit du 22, regardant partir la voiture des pompiers, a nettement vu un homme qui attendait en bas, partir à son tour dans une voiture pour riches. Un rouleau de dessins obscènes est effectivement retrouvé sur le toit de l'armoire des parents, comme Violette l'a dit au juge. Mais le 17, dans un restaurant, on confirme un déjeuner entre une fille ressemblant comme une sœur jumelle à Violette et un homme largement en âge d'être son père.

Le commissaire Guillaume est troublé. Certains faits parlent effectivement en faveur d'une intervention occulte. Cependant, Violette nie farouchement avoir eu un complice : la mère en est pour ses frais. Monsieur Emile ne sera pas débusqué par sa fille. Violette maintient la thèse de l'inceste. Alors, ce même jour, la mère se porte partie civile contre son enfant. Le loup ne sortira pas du bois même si Violette a levé un pan du voile sur Monsieur Emile : les rencontres régulières, les gratifications de près de 3 000 par mois, et cette lettre, arrivée en poste restante aux Sables-d'Olonne où Violette en principe devait partir en vacances avec Jean Dabin, cette lettre regrettant une rencontre ratée, d'un ton tendre mais vraiment autre qu'érotique, cette lettre signée « Emile » ? Les jeux sont faits.

Quant à ce rouleau pornographique posé sur une armoire dont le toit plein de poussière est manifestement intact, la manipulation est si grosse qu'elle aurait dû faire réfléchir. Non, la petite est une perverse qui ment, salit et tue, sinon comment pourrait-on expliquer l'acharnement de la mère ? Les confrontations terrifient Violette mais elle s'attache à sa version. Le 19 novembre, lors de la reconstitution, on lui demande de traîner le corps d'une assistante de police du même « gabarit » que sa mère, entre la salle à manger et la chambre à coucher. Et Violette, essoufflée, semble toute contente d'avoir réussi ! Complètement inconsciente de ce que cela signifie :

LA MERE ABUSIVE

Violette a la force physique nécessaire pour avoir traîné sa mère dans le coma, le crâne en sang, entre la salle à manger où le père râlait et la chambre où elle a pu fourrer sa mère sur le lit. C'est possible. Du coup, par rapport à ce désir de l'opinion qui compte beaucoup, ne serait-ce que par l'influence que cela exerce inconsciemment sur les magistrats les plus scrupuleux, il n'y a plus aucune chance : Violette est coupable.

Les experts psychiatres[1] trouvent Violette normale. A leurs yeux, elle n'est qu'une dévoyée qui a abusé de l'indulgence de ses parents. Signe des temps sans doute : ils ne retiennent ni les témoignages selon lesquels Violette, enfant, ne se portait bien que loin de sa mère, ni l'évolution de la syphillis, ni ses impulsions brutales à fuir ailleurs, ni sa tendance à confondre la nuit et le jour, ni sa mythomanie, ni son désir de se faire aimer à tout prix — quitte à voler ses parents ou à faire chanter son véritable père. Rien de tout cela ne les trouble et cette imagination folle, immature, leur semble dans l'ordre des choses.

Violette est maintenant à la Petite Roquette depuis un an : en octobre 1934, s'ouvre le procès, véritable hallali contre une petite forme pâle. Elle est dans un tel état qu'il faut par deux fois lui faire du Solucamphre. Tout près d'elle, enfin consciente de ses responsabilités, de toutes ses responsabilités, lui fait face sa mère qui ne sait que crier son amour envers cette enfant perdue, perdue par sa faute pour laquelle, à présent, elle implore et supplie les jurés. Un jury qui condamne à mort, rassuré parce que l'avocat général leur a dit : en France on ne guillotine plus les femmes.

---

1. L'un d'entre eux s'était pourtant rendu célèbre peu de temps auparavant en décrétant tout à fait responsable l'une des sœurs Papin, celle qu'on fut obligé d'interner un an après l'expertise et qui finit sa vie en hôpital psychiatrique !

VIOLETTE

La condamnation à mort tombe dans le silence.

Ça n'est pas au public que la gamine crache son mépris ; le public la lyncherait bien, il est là pour faire l'économie de ses ignominies en se repaissant de celles des autres — c'est au jury et aux magistrats, aux beaux messieurs carrés sur leur suffisance, à ces gens qui ont la légion d'honneur. Comme Monsieur Emile.

En dehors des deux avocats (au-dessus de tout éloge), deux hommes nous font chaud au cœur : l'un est le commissaire Guillaume, présent au procès en permanence dans les coulisses, sans qu'il soit jamais entendu, l'autre est le directeur de la Petite Roquette : accueillant la petite Nozières, la dirigeant vers le quartier des condamnées à mort, il dit : « Courage, mon petit ! Conduisez-vous bien ; avec les remises de peine, vous pouvez être libre dans douze ans ; vous êtes si jeune ! Et vous serez encore jeune en sortant ! » La porte se referme. Presque d'un jour à l'autre, Mᵉ de Vesinne Larue retrouve une tout autre jeune fille : Violette est étrangement transformée. Sereine. Soulagée. Comme au-delà des orages.

Il n'y a pas plus docile et pourtant plus digne que Violette. Dans la discipline et le silence, règles de la prison, son passé lui apparaît comme un autre monde. Les idées de grandeur inculquées par Germaine, vues d'ici, sont dérisoires. Ce que la faiblesse de Baptiste avait laissé faire en y rencontrant la mort quitte cette presque enfant, la laissant dans une paix intérieure quasi contemplative.

Devant le grand Christ de la chapelle, revient en elle une toute petite voix, celle d'une petite fille dont la vieille mémé joignait les mains maladroites : tous les soirs, au pied du petit lit, la vieille dame émue par le petit nez plongeant de sommeil entre les nattes blondes, murmurait : « Et à l'heure de notre mort... ». Le petit corps se trouvait alors enfin sous le gros édredon rouge, un sourire aux lèvres. Violette en prison repense souvent à la tendresse que lui témoignait sa grand-mère, vieille dame très pieuse. C'est auprès d'elle au fond qu'elle a vécu les meilleurs moments de son enfance. Est-ce ce souvenir qui la ramène à la religion ? A Noël, quelques mois après l'internement, la grâce est accordée ; la condamnation à mort est commuée en travaux forcés à perpétuité. En janvier 1935, c'est le départ vers Hagueneau. Le lourd portail se referme sur Violette et ses treize compagnes ; les bâtiments de grès bleu gardent bien ces femmes qui, en entrant, ont abandonné toute espérance.

Pourtant c'est là que Violette la retrouve : se confirme l'appel de la foi qui chuchotait déjà à la Petite Roquette. Son confesseur est stupéfait : ce qu'on a vomi sur cette enfant et qui elle se révèle être dans le secret de la confession, cadrent si peu ensemble. Si Dieu permettait un miracle ? En 1937, dans une lettre à Germaine, Violette rétracte solennellement les accusations d'inceste portées à l'encontre de Baptiste Nozières : cadeau fait à sa mère, ou bien simplement la vérité ? La transformation de Violette est frappante.

Elle se déclare décidée à prendre le voile dès que possible. En attendant, nous sommes en 1940, et l'administration pénitentiaire replie les détenues sur la Centrale de Rennes. Les annotations plus que favorables portées dans le dossier qui suit les détenues, fait que Violette est autorisée à aller, venir, apprendre la comptabilité.

La pauvre mère s'épuise ; le Père Lelong se démène ; il connaît bien le Père Sertillanges qui connaît le Maréchal. Et puis qui sait si Monsieur Emile n'use pas de son influence ? Qui condamnera même l'ouvrier de la onzième heure ? Sûrement pas les religieux épanouis à l'idée de la prise de voile de Violette, prévue pour

VIOLETTE

1945. Les ecclésiastiques proposent, mais Dieu dispose tout autrement... en 1940, Violette a vingt-cinq ans : même sous la dépersonnalisation voulue de l'uniforme, elle est jolie, désirable. Le fils d'un fonctionnaire de la prison tombe amoureux d'elle et la demande en mariage. Le fonctionnaire donne son accord et ouvre tout grand les bras à sa future belle-fille. Encore aidée par ses amis d'église qui ignorent ses projets, Violette sort de prison en 1945. Elle trouve du travail sous le nom de jeune fille de sa mère. Celle-ci est bien déçue du mariage : elle espérait tant reprendre sa petite et vivre doucettement avec elle, dans ce bon bourg de Neuvy, sur le petit bien familial. Les jours se seraient écoulés, comme dans la paix un peu grise d'un béguinage. Mais elle, Germaine, c'est une mère. Elle a payé le prix et elle a fait payer le prix. Qui a souffert des hommes, et par les hommes ? C'est du moins ainsi qu'elle voit encore les choses. Elle écrit à Mᵉ Vesinne Larue, incurable mousquetaire, qui s'est battu et continuera de se battre pour Violette : « J'ai eu une grande déception de ne pouvoir ramener ma petite avec moi. Je la perdais encore. Mais j'ai compris que je devais marcher sur mon cœur, faire ce grand sacrifice pour son avenir. La voir heureuse par son travail sera ma récompense. » Mais Germaine ne connaîtra pas l'amertume de la solitude. Dès leur mariage, Violette et Pierre viennent la chercher et Germaine deviendra une admirable grand-mère. La plus efficace des aides, aussi : l'hôtellerie prise par le jeune couple donne du travail.

La mort stupide de Pierre en 1960 laisse les deux femmes avec cinq enfants sur les bras, la dernière a trois ans. Deux ans plus tard, Violette ressent les premières atteintes d'une maladie qui, à l'époque, faisait rarement grâce ; elle exige la vérité ; opérée en 1963, elle se bat. En juin, elle apprend sa réhabilitation : « Nous avons gagné notre guerre de trente ans, exulte M° de Vesinne Larue, il n'y a plus de Violette Nozières ! »

C'est un exploit : c'est la première fois dans les annales de la justice française qu'un tel résultat a été obtenu. Violette se traîne sur des cannes ; elle souffre et serre les dents. En 1965, elle va à Lourdes : sans doute pour confier ses petits à la Bonne Mère, celle de son enfance qui, quand même, et malgré tout, l'a protégée du seul mal, l'avarice du cœur.

Elle meurt le 28 novembre : sa fille Michelle lui a juré de brûler la petite valise où peut-être se trouvait le secret de l'introuvable Monsieur Emile, et elle le fait.

Les enfants répondent tranquillement aux charognards qui ne manquent jamais une occasion de rouvrir les blessures : « Nénette ? Elle avait ses raisons ! » Germaine s'éteindra doucement en août 1968.

5

CHRISTINE ET LÉA

une mère tyrannique

Ce pays est dur aux hommes, bien dur... Dans ce monde de péché, les hommes honnêtes et travailleurs ne peuvent pas profiter. C'est ceux qui possèdent des magasins dans les villes qui profitent sans sueur de ceux qui suent. C'est pas le travailleur, le paysan. Des fois je me demande pourquoi nous continuons. C'est à cause de la récompense qui nous attend là-haut, là où ils ne peuvent pas emmener leurs autos ni le reste.

William FAULKNER.

POURQUOI TUER MADAME ?

Ce texte a pour base la vie et le double crime des sœurs Papin.

A l'ouvroir paroissial, on parle avec la même hebdomadaire cruauté de ceux et celles qui sont absents. On parle surtout des servantes, ces « filles-là », souvent engrossées au passage par le Maître ou son fils boutonneux. Ces dames parlent de leurs bonnes, exploitées, méprisées, chassées : un sous-peuple. « Moi, je ne la laisse jamais s'asseoir, dit Madame la Mairesse, sans quoi elle prendrait de mauvaises habitudes. »

« Moi, je lui fais frotter l'argenterie tous les jours, sinon elle lirait ! Vous vous rendez compte ? »

« Moi, moi, moi... »

Ces commères médisent et s'activent à la layette des enfants pauvres. Les pauvres qui ont une bonne mentalité. Chez les miséreux, comme chez les filles de joie, il y a deux catégories : ceux qui remercient, bénissent, donnent bonne conscience aux femmes riches qui les visitent, et les autres, les partageux, les rouges qui crachent sur cette charité. Des anarchistes. Pire : ils se moquent des prêtres et ont poussé à l'Etat laïque. Les brassières tristes s'accumulent, les carrés coupés dans des vieux draps trop usés pour servir de torchons s'empilent, ils serviront de couches.

Ces dames distillent leurs méchancetés avec grâce.

Bientôt le jour ne suffit plus, l'orage qui menace éteint la clarté. Sans savoir pourquoi, tout ce monde se sent oppressé par quelque chose de formidable et de mauvais. Les mots cruels cessent, le silence se fait progressivement entre toutes ces têtes casquées de court. Le prêtre se signe au premier coup de tonnerre puis ouvre le commutateur. Un soupir de soulagement monte. Deux chaises sont restées vides, s'imposant dans la lumière crue : le temps qui menaçait a sans doute effrayé Mme Lancelin et sa fille. Pourtant leur maison n'est pas tellement éloignée.

C'est un beau bâtiment, plus haut que large, qui se dresse sur une butte de gazon parsemé de rosiers nains et de massifs verdoyants. Une allée sablée, ratissée chaque matin par le vieux jardinier borgne qui s'occupe aussi du poulailler, relie la haute grille à la large porte d'entrée en chêne. « Ce genre de porte qui défie les voleurs », dit tout le temps la propriétaire, en tapant orgueilleusement sur le vantail, comme si le mal ne pouvait venir que de l'extérieur.

Mme Lancelin et sa fille sont blondes, grasses, les rides en plus pour l'une, les modèles de Paris — copiés — pour l'autre. Mêmes crans sur les oreilles, même orgueil dans la façon de se tenir, de parler, de mépriser à fendre l'âme des autres. Leurs deux bonnes, Christine et Léa, en savent quelque chose. Pourtant, les deux femmes ne sont pas foncièrement méchantes : elles sont bêtes, engoncées dans cet orgueil de caste qui s'exaspère depuis quelques années devant le grondement populaire. Elles ont peur de perdre ce qu'elles croient posséder de droit divin : leur argent et du même coup leur supériorité sociale.

Ce soir, dans la maison tout est silencieux et paisible, très paisible. Les lampes ne se sont pas encore allumées au salon où ces dames se tiennent habituellement.

Tout là-haut, sous les combles, dans le grand lit où elles dorment ensemble depuis tant d'années — il y a près de huit ans qu'elles ne se sont pas quittées — Christine et Léa, les deux bonnes, sont terrées, les draps tirés au-dessus de la tête. Christine, 28 ans, ouvre tout grands ses yeux sur l'invisible... Depuis qu'on l'a séparée de leur grande sœur, Emilia, entrée en religion depuis plus de quinze ans, Christine ne va pas bien. Elle parle toute seule, voit des choses, se cramponne à la petite Léa dont elle ne supporte pas d'être séparée un seul instant. Cette dernière en fait des convulsions, tant la tyranie dévouée de sa sœur la dévore... C'est comme une rage qui les soude en un seul corps...

Les pensées de Christine s'emballent... Elle se voit avec Léa, pieds nus, haletantes, les sabots dans les mains pour courir plus vite... Elles filent à travers champ, tout droit, comme des bêtes poursuivies... Le ciel d'orage boucle la terre sous un couvercle. Sur le gris frangé de rouge couchant, les deux silhouettes se détachent ; les prés sont déjà verts dans ce coin de la Mayenne, et à perte de vue les herbages défilent. Le souffle vient à manquer : les deux sœurs se laissent tomber sur le sol, au pied du chêne des pendus. Leurs visages osseux se tournent vers les nuages, comme des juments maigres tirent sur leur licol, mais le ciel est muet. Pire, le jour revient progressivement, de façon incompréhensible. Les nuages bourrés d'éclairs tournent au cuivre sale, et cette lumière d'enfer ne laisse pas d'ombre... Christine hurle, reprend pied dans la réalité de cette petite chambre où, blottie contre sa sœur, elle est encore en sécurité. La plus jeune pleure à petit bruit, plongeant de plus en plus profond dans un désespoir où personne ne peut la rejoindre. Quand l'aînée l'attire vers elle dans un geste si tendre — quand on est dans le malheur à ce point, la tendresse, ça aide à vivre — elle la garde contre son corps en la berçant. Le malheur, elles ne connaissent à peu près que cela.

Christine n'avait pas un mois qu'elle était confiée à sa tante Isabelle, une vieille fille militante qui dévorait à belles dents la réputation des hommes, ne supportant pas l'idée de mariage. C'est elle qui au bout de quelque temps la place chez de très braves gens, les Deziles, qui tiennent l'hôtel de la Boule d'Or. C'est une bonne auberge. Les bâtiments couvrent un carré qui mord sur la petite place. La façade ouvre ses fenêtres sur deux marchés hebdomadaires et la grande porte vitrée qui donne sur la salle est plus souvent ouverte que fermée. Les charrettes et quelques voitures ont remplacé les chevaux d'autrefois. L'atmosphère est au calme. Christine n'avait pas accès à la grande salle, elle ne s'y glissait qu'en catimini, avant l'arrivée des voyageurs. Mais c'était surtout en haut de l'escalier, assise sur les marches, qu'elle écoutait plus qu'elle ne la voyait, la vie en marche.

La grosse bonne voix de pépé Deziles donnait la mesure. Oui, elle était heureuse en ce temps-là, Christine. D'y penser seulement, ses narines se gonflent de l'odeur de la sauce aux morilles de mémé Deziles, qui houspillait les filles de cuisine mais savait travailler, elle. Cette sauce, elle se préparait sur une cuisinière en fonte, pansue comme un notaire, brillante de tous ses cuivres astiqués comme des soleils...

Christine a six ans quand nait sa petite sœur Léa, une fille de plus pour des parents qui se haïssent. Un an plus tard, la mère se dispute avec la tante Isabelle, la sœur de son mari. Pourquoi ? On ne le sait pas, mais c'est assez grave pour qu'elle soit amenée à reprendre Christine à la tutelle d'Isabelle. Christine est chassée de son paradis, elle ne comprend pas pourquoi, elle n'a rien fait de mal, rien demandé. La cassure est affreuse, le retour à la maison abominable.

Elle y retrouve sa sœur aînée, Emilia, qui a douze ans, mais surtout son père, une brute épaisse. Méchant cet homme ? En tout cas, lorsqu'il était ivre, et cela arrivait souvent, il était comme fou. Les filles devaient se garer et pas seulement des coups. C'est à l'époque du retour de Christine que le père viole Emilia. La mère place alors les deux fillettes à l'orphelinat, demande le divorce mais ne porte pas plainte. Peur du scandale ? Résignation ? Manœuvre ? Pour Christine, c'est un abandon de trop, elle ne le pardonnera jamais.

Douze et huit ans, pour l'orphelinat, c'est déjà vieux. Mais Le Bon Pasteur est aussi une maison de correction : discipline de fer, nourriture infâme. Les fugueuses sont sévèrement punies, ramenées dans leur famille comme des voleuses. De temps en temps, une femme, la supérieure, pleurait à genoux sur les carreaux de sa cellule aussi inconfortable que les dortoirs. Elle ne pleurait pas de désespoir, non, seulement sur cette misère, sur toutes ces petites qui en savaient déjà trop, et tellement. Il fallait les briser pour qu'elles aient une chance de survivre, dociles et policées. Le métier de brodeuse payait bien avec la mode de la passementerie et des perles. Le Bon Pasteur était renommé pour fabriquer des ouvrières de bonne mentalité. Mais à quel prix... Ce n'était pas facile de diriger cette prison pour enfants mal aimées. Ce n'était sûrement pas non plus facile d'y être enfermée.

Léa, la petite dernière qui a trois ans, est confiée

à l'oncle René. Un brave homme qui élevait sa petite fille tout seul. Les deux enfants partagent ensemble un bon grand lit et, malgré ses convulsions, Léa est autant choyée que sa cousine.

Emilia et Christine sortent un dimanche par mois avec leur mère et de temps en temps le groupe va chercher Léa le temps d'une promenade. La veille de Pâques 1915, Christine sauve Léa des roues d'une voiture de livraison. Superstitieuse, la mère annonce aux fillettes encore sous le coup de l'émotion que le sang de Christine et de Léa sera mêlé jusqu'à la mort. Sinistre prophétie. Certes, la mort était quotidienne en cette époque de guerre. Christine, bien sûr, s'en souvient : les blessés qui venaient se refaire une santé à la campagne avant de repartir au front, et tous ces gens en noir à la sortie des messes basses.

Emilia a dix-sept ans quand elle décide d'entrer dans les ordres, à la grande fureur de sa mère, fureur attisée par le consentement que le père adresse du front. Cet incapable n'en ferait donc jamais d'autre ? Quant à cette idiote d'Emilia, devenue comme Christine, l'une des plus fines brodeuses du Bon Pasteur, elle allait porter sa paye ailleurs... Rien ne va plus à nouveau dans cette famille disloquée, jusqu'à René qui se croit tout permis sous prétexte qu'il élève Léa : sur une violente dispute, sans barguigner, la mère reprend la petite dont elle se débarrasse aussitôt en la plaçant chez les sœurs de St Charles Borromée. Comment avait-elle ressenti le viol de sa fille ? On ne le sait pas. Ce qui est sûr, c'est qu'elle se sent volée par la décision d'Emilia : il lui faut reprendre son autorité, montrer que c'est elle qui commande. Et régenter la vie de ses filles, n'est-ce pas le dernier pouvoir qui lui reste, la dernière satisfaction que peut lui procurer cette vie lourde de souffrances accumulées, de déceptions et de haine ? La misère, c'est quelquefois un rugissement qui mord.

CHRISTINE ET LEA

Christine se sent seule, désespérément seule, depuis le noviciat d'Emilia. Alors, prise d'une inspiration qu'elle mûrit dans le silence, un silence où elle commence à se parler à elle-même, elle demande, elle aussi, à être religieuse. C'en est trop pour la mère qui, au comble de l'exaspération, lui révèle qu'Emilia a été violée par leur père. Christine le savait, mais l'intention n'en est pas plus jolie. Et puis, que vient faire ici le viol ? Qui est coupable ? Qui est victime ? Qui est complice ? La menace tombe : si Christine persiste dans son projet, la mère dénoncera le père pour l'envoyer en prison. Orphelinat, couvent, prison : le chantage exercé par sa mère place Christine au centre d'un curieux jeu de l'oie où l'on ne sort du puits que pour mieux y retomber, à moins d'y pousser les autres. Christine devra se résoudre à la destinée que lui impose sa mère qui la veut, à son image, une domestique, et rien qu'une domestique. Orgueil mal placé d'une femme méprisée toute sa vie ? L'argent n'est certainement pas le seul moteur qui pousse la mère à casser la vie de sa fille. Et Christine, de son côté, ne peut pas croire sa mère uniquement obsédée par l'idée de la vendre à des maîtres plus ou moins bons. La petite, qui prend de l'âge, a fait trois fugues dès son premier placement.

Les années passent. Chaque fois que l'adolescente s'intègre dans une place, la mère la reprend, espérant un meilleur salaire. De ferme basse en ferme basse, Christine sert, dans des endroits plus ou moins cossus. Elle dort dans la salle commune, et elle tient la maison. Le fermier a intérêt à rester au large ; dans les yeux de la gamine, des lueurs passent qui n'encouragent pas du tout à la bagatelle. Christine est de plus en plus sombre, et ne parle presque plus. Elle prend sa revanche quand elle est seule en se racontant des histoires qui évoquent des soleils, des odeurs de morilles, et l'atmosphère bruyante de la Boule d'Or de ses premières années. Elle perd le sommeil et ne mange plus.

Christine a vingt-trois ans, Léa en a treize : la mère décide de les placer ensemble, chez un homme seul d'abord, puis, après une courte séparation, chez les Lancelin. Entre la mère et Christine une lutte à mort s'engage autour de Léa. Christine veut Léa toute à elle : elle dénonce sa mère à la justice – cette dernière a un ami — déclenche des enquêtes de tous ordres, cherche à faire émanciper sa sœur. La mère ne donne rien à ses filles, c'est sûr, mais Léa, qui la voit en cachette, est bien capable de lui donner de l'argent. D'y penser, Christine enrage.

Curieux retournement de situation où l'autorité bascule, change de camp. Les voilà presque à égalité Christine et sa mère dans leur amour pour Léa. Mais Léa sait bien que seule Christine est capable de calmer ses crises, et pour garder Léa, Christine irait à pied du Mans à la mer. Christine se sait indispensable à quelqu'un, de quoi donner un sens à sa vie tellement décousue. Quant à la mère, elle a vu se restreindre son pouvoir au fur et à mesure que ses filles ont grandi.

Etrange pouvoir des femmes accrochées à leurs enfants. Sans limite et sans avenir. Ainsi, son amour pour Léa, c'est peut-être sa dernière chance, mais Christine sera la plus forte...

Dehors, la nuit est tombée. Christine frissonne. Dans sa tête, les images tournent. Le vasistas ouvert laisse voir entre deux nuages comme les Chevaux de l'Apocalypse. Sa sœur s'est endormie à son flanc, enfin calmée.

Le matin tout avait pourtant bien commencé. Ces dames devaient être absentes tout l'après-midi pour rejoindre après l'ouvroir, M. Lancelin chez le notaire. Les deux sœurs allaient pouvoir travailler dans une quasi liberté. Comment être habile quand un œil

malveillant est à l'affût de la moindre maladresse ?
Et puis, ses cheveux blonds, ridicules chez une femme
de son âge. Aussi ridicules que ceux de la voyante
chez laquelle travaillait leur mère, une dizaine d'années auparavant : même perruque filasse, même mauvais regard porté sur les gens et les choses. C'était
juste avant qu'elle ne se dispute avec l'oncle et ne
reprenne Léa qui, la pauvre idiote, y était si heureuse...
C'est peut-être elle la voyante, qui ressemble tant à
Madame, qui a conseillé de crever le cœur du vieil
homme attaché à l'enfant. Pour de l'argent ? Enfin,
une chose est certaine, Mme Lancelin rappelle aux
deux jeunes filles des souvenirs amers. Alors, être
seules, libres de rire, ce sont de vraies vacances. Pour
Christine surtout, libre de dévorer sa sœur des yeux.

C'est jour de repassage, avec un fer électrique tout
neuf. Après les recommandations d'usage, Mme Lancelin et sa fille s'en vont : elles ont décidé en secret
de ne pas se rendre à l'ouvroir mais d'aller faire des
courses pour préparer la fête de M. Lancelin, toute
proche. Mais les courses prendront moins de temps
que l'ouvroir, alors en attendant l'heure du dîner
chez le notaire, elle pourraient bien revenir à l'impro-
viste pour surprendre les bonnes.

Christine regarde distraitement le pâle soleil de
février. Le temps est trop doux pour la saison, c'est
comme un malaise : elle s'étire et commence à arroser
le linge que Léa étire consciencieusement, couture
par couture. Le plat d'abord ; les pièces seront pour
la fin. L'emploi d'amidon achèvera le travail : c'est
délicat ces cols et ces dentelles que les dames mettent
autour de leur joli cou... Christine rit, elle pense
au canard à la tête coupée et qui continuait à courir
sur la terre battue de la ferme. Léa un peu inquiète
la regarde : « Ce n'est rien, dit Christine, je pensais
à Mme Lancelin en train de courir sur le carrelage
en oubliant sa tête ! » Léa, stupéfaite, se tait : elle

sait bien que son aînée est bizarre, très bizarre même, depuis l'adolescence et toutes ces places abandonnées par force, où il fallait à chaque fois tout recommencer et où, à chaque départ, elle laissait un peu de son cœur. Si Léa a cédé, si elle n'a plus revu sa mère, c'est parce qu'elle avait peur que Christine n'éclate : l'année précédente elle avait refusé la réconciliation demandée par la mère. Christine en colère ? Elle doit être capable de drôles de choses.

Les pièces repassées s'entassent. Soudain le plomb saute. Plus de courant, plus de fer, donc plus de repassage. Christine saute en l'air de joie : depuis tout à l'heure, son corps s'est alanguit et son désir lancinant devient réalisable, invincible. Elle prend sa sœur par la taille et l'entraîne sans un mot. L'autre suit : comment faire autrement ? Elle a peur, et puis elle ne sait qu'obéir, surtout quand on est bon pour elle. Dans leur chambre, le même scénario se déroule : que dire devant ces êtres qui cherchent un mieux-être ou l'oubli dans un plaisir qui se partage ? Que le sommeil est bon, après, dans l'illusion d'une possible liberté... La maison est plongée dans l'obscurité.

Mme Lancelin et sa fille rentrent déposer leurs achats. Dans la maison sombre, sans vie, elles appellent. Tout en haut, réveillées en sursaut, les deux sœurs sentent la panique s'emparer d'elles. Qu'est-ce qu'elles vont entendre ! Elles se rhabillent, se trompant de robe : la confusion est facile dans l'obscurité, elles ont la même taille, la même corpulence, et elles descendent sur leurs bas, la mort dans l'âme. Tout pourtant venait d'être si heureux. Mais est-ce de leur faute si le plomb a sauté ? Sans prendre le temps d'ôter son manteau, Mme Lancelin s'est postée sur le palier de l'escalier, une bougie à la main. Une statue du Commandeur.

— Où étiez-vous ?

— C'est le plomb, Madame, hasarde timidement Léa.

— Le plomb, le plomb, le jardinier sait le changer ! Vous êtes idiotes, mes pauvres filles ! Toute une journée de travail gâchée pour un plomb ! Et l'empois d'amidon, hein ? Vous croyez que demain vous le trouverez encore ? Je ne peux pas tourner les talons que vous volez le pain que vous mangez !

Cette dame si bien a posé les mains sur ses hanches, comme une poissarde. Sentant quelque chose d'inhabituel, elle se rend compte que les robes ont changé de propriétaires. Ses yeux s'arrondissent, et — quelle sale amitié de pensionnaire lui revenant à la mémoire — elle comprend. Elle y a mis du temps, mais elle comprend enfin pourquoi les deux sœurs ont accepté des gages si faibles et supportent à peu près toutes les avanies avec constance. Secouant Christine comme le vent d'autan les noyers, elle éclate d'un rire ignoble :

— Vous étiez au lit, mes belles ! Vous avez le vice dans le sang, vauriennes, et vous pensez que je vais tolérer cela dans une maison honnête. Je vais vous dénoncer ! Vous êtes majeure, je ne peux pas faire enfermer Léa dans une maison de correction, mais je vais vous arranger : personne ne voudra vous engager ! Vous serez séparées ! Je comprends pourquoi votre mère s'échinait, la pauvre, afin que vous ne soyez pas ensemble. La pauvre femme : quand on a le vice dans le sang, il vaudrait mieux se noyer.

— Se noyer, dit Christine, retrouvant ce regard de l'ailleurs. Se noyer. Oui. Nous noyer. Mais pourquoi nous ? Qu'avons-nous fait de mal, sinon d'avoir un fer électrique qui ne marche pas et d'avoir laissé l'ouvrage pour une fois ? Que nous avons-vous fait, à vous ?

Prise de court, Mme Lanceline hésite. En effet,

dans l'ensemble les sœurs faisaient tout ce qu'elles pouvaient. Mais les robes échangées lui reviennent :

— Vous êtes pourries, et ma fille est encore une vraie jeune fille, elle. Vous traînez l'ordure avec vous. Je sais que votre père a violé votre sœur : qui sait si elle ne l'avait pas cherché ?

Là, c'est trop : l'image d'Emilia se traînant pleine de sang jusqu'à son lit, ouverte par le sexe de son père comme on ouvre un placard, n'osant même pas pleurer tant elle avait mal... Christine était jeune, mais elle se souvient bien de son aînée s'accrochant au berceau de la petite où toutes les trois avaient dormi, chacune à leur tour. Il ne fallait pas dire ça : l'arrachement, à la Boule d'Or, le viol d'Emilia, le placement au Bon Pasteur, et le silence, puis le chantage de la mère, tout lui revient en mémoire. Comme une somnambule, Christine ressort de la cuisine où elle était entrée sans un mot, tenant une main derrière son dos. En la voyant, Mlle Lancelin pâlit ; la figure de la bonne est terrifiante. Son masque est tout aspiré de l'intérieur, comme si les os dévoraient la peau. Sa mère qui lui tournait le dos pour observer l'effet de ses paroles sur Léa, toute à la satisfaction de faire souffrir ce sous-peuple qu'elle méprise, ne se doute de rien. Lentement, Christine lève le marteau et frappe la fille sur la tête : pas assez fort : à son gémissement, se mère se retourne et comprend devant ce regard mort que tout est fini pour elles deux. Comme une noyée qui s'accroche à ce que peut agripper sa main, Léa a saisi le fer à repasser : elle frappe la mère. C'est une scène d'abattoir où s'entendent seulement les « hans » des deux sœurs qui s'acharnent à cogner, et à cogner encore. Prise de frénésie, Léa court chercher un couteau. Elle taille, mutile, rit comme une folle, jetant derrière elle des morceaux innommables, incapable de s'arrêter jusqu'à la crise d'épilepsie qui la ravage.

CHRISTINE ET LEA

Il y a du sang partout. La bougie ne s'est pas éteinte. Christine baigne les tempes de Léa avec de l'eau fraîche, son corps s'immobilise enfin. Léa ouvre les yeux et hurle de terreur devant le spectacle. Se laver, soigneusement, laver tout ce qui poisse. Vider l'eau rougeâtre dans l'évier, le rincer. La cuisine est impeccable. Mais l'escalier...

Christine et Léa montent en rasant les murs, l'une soutenant l'autre mal remise de sa crise. Un rire nerveux secoue l'aînée devant des cheveux filasses accrochés à la rampe comme un trophée.

Les dames Lancelin ne sont pas encore arrivées chez le notaire. Après les potins d'usage, on s'en étonne et M. Lancelin se décide à aller secouer les retardataires, sans doute occupées à essayer une nouvelle coiffure. Finalement, il est très heureux de la futilité de ces dames, elle le rassure, ce brave homme. La nuit de février est anormalement douce. Le maître de maison accompagne son hôte pendant que la pâte à crêpes finit de lever. La maison Lancelin est plongée dans l'obscurité. Pressentant quelque malheur, le notaire passe devant, ouvre la porte, celle qui sépare le monde bon des méchants. Un rayon de lune tombant de l'imposte fait miroiter quelque chose qui a roulé sur les marches : le notaire bat le briquet. Dans la lueur fuligineuse, un œil, tout seul, s'irise. Le reste est à l'avenant.

Il faudra déloger Christine et Léa de force de ce dernier refuge que constituait leur chambre, près du ciel.

L'affaire jugée en 1933 donne à chacune des deux sœurs la pleine responsabilité de leurs actes. Dans sa cellule, Christine avait hurlé à la mort pour qu'on lui rende sa sœur, puis s'était jetée sur elle : il avait fallu l'intervention d'une gardienne pour dégager Léa.

Christine, condamnée à mort, vit sa peine commuée en travaux forcés à perpétuité. Léa fut condamnée à dix ans de prison, une peine légère : les jurés avaient estimé qu'elle était sous la contrainte morale de sa sœur, ce qui était vrai. Christine ne pardonna jamais à Léa d'avoir accepté l'aide de la gardienne : internée dans un asile psychiatrique, elle n'en sortira que quatre ans plus tard dans un corbillard, sans avoir jamais revu sa sœur.

Léa devait bénéficier d'une remise de peine pour bonne conduite et retourna vivre auprès de sa mère, employée comme domestique. Pas plus qu'avant, elle ne pouvait vivre libre.

6.

MARCEL

une mère éloignée

*Il y a un désir de vengeance qui s'ap-
pelle colère, un désir de posséder de
l'argent qui s'appelle avarice, un désir
de l'emporter de toute manière qui
s'appelle entêtement, un désir de se van-
ter qui s'appelle jactance.*

SAINT-AUGUSTIN.

LE COUPERET TOMBERA TROIS FOIS

Ce texte est l'interprétation du cas clinique du fameux docteur Marcel Petiot.

L'homme danse une curieuse gigue dans la lueur d'une lanterne sourde de la S.N.C.F. Il fait un drôle de boulot : pousse, tire, coupe. C'est un homme organisé. Dans l'hôtel particulier du seizième arrondissement, on trouve une espèce de cuisine à droite, en sous-sol, au fond de la cour. En face, au fond, un cabinet de consultation avec une petite salle d'examen triangulaire, puis un grand hangar plein de fouillis.

Il a acheté cela en 1941, par versements mensuels. Une riche idée : il a dû être voyant ce jour-là... Il est docteur en médecine, il exerce rue Caumartin, où il habite, avec sa femme et son fils qui va avoir seize ans. Mais depuis qu'il s'est lancé dans cette bizarre industrie, voici deux ans (nous sommes en mars 1944) il se tue au travail : les visites, les consultations, les gens qu'il faut trouver pour ce petit commerce de transports en commun, cela fait beaucoup. La Gestapo est proche. Les malades ? Les vieillards claquent comme des mouches. Les nouveaux-nés aussi : allez donc survivre en allant faire la queue à 5 heures du matin pour du foie de raie ou du sucre de raisin. Et les appartements sont glacés.

En sifflotant, le bon docteur fourre son vieux béret sur la tête et met le feu aux deux calorifères bourrés jusqu'à la gueule : un peu de charbon, et bien d'autres choses. Le combustible il en aurait plutôt trop. Mais ça brûle mal : d'où l'idée, il y a trois semaines, de commander de la chaux vive pour déshydrater tout ça d'abord. Logique.

Il appuie sur les pédales de son vélo, pris dans un monologue intérieur. Si les vieux crèvent de leurs poumons et de leur faim, il n'y a plus de maladies de foie. Les Français ont la ligne (la ligne Siegfried, se tord-il de rire. Il a inventé « Hara Kiri » avant sa parution le gentil père de famille).

Mais il n'y a pas que les maladies qui ont disparu. Il y a les centaines de milliers de juifs que les nazis torturent, exécutent, déportent. Quant à l'armée allemande régulière, elle occupe. Quand les terroristes font un coup de Trafalgar, ils exécutent des otages : régulier, non ? On ne peut pas demander à ces gens-là de laisser tirer leurs hommes comme des lapins sans rien faire. C'est la guerre, philosophe le cycliste qui, le souffle court, arrive enfin rue Caumartin.

Le téléphone sonne juste au moment où il tourne la clef dans la serrure. Les clients ne manquent pas. Sa bonne grosse épouse lui tend le récepteur : il y a le feu rue Le Sueur d'où il a tant peiné à venir à grands coups de pédale. Ce qu'il se dit, il vaut mieux ne pas l'écrire. Il répond qu'il arrive immédiatement.

A la porte de l'hôtel particulier de la rue Le Sueur, il aperçoit deux agents en faction, la voiture des pompiers, des badauds... Sautant de sa selle, il dit aux factionnaires, avec un ton d'officier manœuvrant ses troupes :

« Vous avez vu ? Vous êtes de bons Français. Mon frère arrive ! » Puis repart en voltige, laissant les deux pandores estomaqués. Bien sûr, ils sont tous deux de bons Français : en 1944, ça veut dire plutôt du côté de De Gaulle que du côté de Pétain. Ça voudrait dire que ce qui a fait évanouir d'horreur un petit pompier tout neuf, ce sont des Allemands exécutés en douce ? Ou bien est-ce la Gestapo du coin qui a fait un charnier de plus ? D'où viennent les morts qu'on vient de trouver là ?

Le chef, le commissaire Massu, arrive, bloque les freins de la traction devant la porte, à peine une demi-heure plus tard. Mis au courant, il attend « le frère ».

Le problème, c'est qu'il y a bien un frère. Mais que ce dernier est à trois cents kilomètres de là. Quand le patron comprend qu'ils sont joués, sa colère atteint les limites de l'apoplexie : il révoque les deux agents, sur-le-champ, demande tous les renseignements possibles sur le propriétaire de cette maison qui a l'air inhabitée, sauf la cuisine à droite, et à gauche un cabinet de consultations près des communs. C'est là que les pompiers ont éteint à la lance le calorifère emballé. Ce qui reste est innommable. Juste à côté, une grande fosse septique est pleine à ras bord de restes émergeant de la chaux vive. Lorsque Massu parvient à identifier le propriétaire de la rue Le Sueur, il se précipite à son domicile rue Caumartin, mais l'épouse lui répond que le mari est venu en vitesse faire une valise. Cette brave dame n'a pas l'air de supposer que son mari lui cache des choses.

Voilà Massu devant une énorme affaire policière en pleine occupation allemande où les revers subis en Russie n'engagent pas spécialement les nazis à la compréhension. De Gaulle, ou Pétain ? Gestapo ou Résistance ? A qui les morceaux, plus ceux retrouvés dans la Seine que l'on drague ? Comme les Allemands ne bougent pas, malgré le battage fait par les journaux, le policier en déduit que cet abattoir n'est pas une annexe de la rue Lauriston, de sinistre mémoire.

La seule piste possible, c'est de reconstituer la vie de cet homme toujours en cavale — il y restera sept mois.

A Auxerre, Félix Irénée travaille à la poste. C'est un employé modèle. Le soir, il plie soigneusement ses manchettes de lustrine et les range — soigneusement — auprès du calot qui réchauffe sa calvitie naissante, le tout dans la case réservée à cet effet. Taille deux crayons pour le lendemain : un noir et un gros rouge et bleu.

Puis, coiffé d'un Panama l'été, d'un melon l'hiver, il rentre chez lui retrouver son épouse et leur deuxième fils. Charmante, sa femme, mais fragile. L'aîné des fils a été mis en nourrice dès la naissance du frère, et y passe le plus clair de son temps. Souvent il fugue pour revenir. La mauvaise graine. Impossible alors de le décoller de sa mère qui le repousse avec une manière de le retenir. Ça agace Félix. Le petit Marcel l'a même remplacé dans le lit conjugal, et cela plus d'une fois.

Un soir, excédé de ne pouvoir exercer son droit d'époux, il prend prétexte d'un bleu que porte sa femme pour lui faire une scène de jalousie. Or c'est Marcel qui avait pincé sa mère et essayé de pousser le bébé par terre. Félix cogne. Comme s'il ne pouvait plus s'arrêter. Le petit Marcel le regarde avec des yeux, mais des yeux ! Comme si tout d'un coup l'enfant avait vu l'enfer et l'avait photographié dans regard.

Félix, quand il y pense, en frissonne encore. Et depuis Félix est malheureux. Sa femme le repousse.

112

MARCEL

Il est obligé d'aller avec des filles. Il ne se soucie pas tellement de l'argent. Les filles de la maison close ne sont pas chères. Mais les maladies ! Il a la terreur des maladies, au point d'essuyer comme religieusement son assiette, ses couverts et son verre en se mettant à table.

Le bébé est un bon gros gentil. Mais Marcel a tout de même été obligé de laisser sa place et il est coupé de sa mère qu'il adore et qui le lui rend bien : la nourrice est une brave femme, alors pourquoi cet amour dévorant pour la si jolie maman ?

Jalousie envers le petit frère, séduction de la mère, rejet du père, le tout à la fois... Hélas, la mère si fragile tombe malade et meurt en pleine jeunesse.

Marcel devient bizarre, imprévisible, tantôt plein d'effusions câlines et de baisers mouillés qui font que le père s'essuie — toujours les microbes. Tantôt il s'immobilise dans un coin, les yeux presque clos. Puis tout d'un coup il fait une chose énorme, absurde. A six ans il a lancé dans l'eau bouillante un tout petit chat blanc ! Ce sont toujours de petits animaux qu'il détruit, le plus lentement possible. A-t-il peur des gros ? Ou bien sa haine va-t-elle vers un plus petit que lui ?

Entre la nourrice et l'école, le père arrive à le supporter. Tout juste. Il a peur de cet enfant qui, par moments, le nargue de ses yeux de diamant noir qui ne se baissent jamais. Doué d'une excellente mémoire, l'enfant grandit en faisant de très bonnes études. Mais à l'adolescence ses tours pendables font scandale : courrier détourné, maîtresse prise — avant d'avoir quinze ans — la sous-maîtresse de la maison close ! Plus tard, une sale affaire de mandat éclate. Deuxième scandale. Le père hors de lui éloigne son fils dans une petite chambre en ville avec une allocation de misère.

Comment l'adolescent s'en sort-il ? Mystère. Rage

ou orgueil, on ne sait. Mais trois ans plus tard, en 1915, le voilà bachelier. La grande guerre bloque le rire de l'arrière, et donne celui de la mort aux combattants. Marcel déprime. Il devance l'appel en 1916, et est blessé au pied en 1917. A deux reprises, il traîne dans un service de psychiatrie. Le seul sel de cette histoire effrayante, c'est que, réformé pour troubles mentaux en mars 1921, il obtient sa thèse de Docteur en Médecine et le droit de soigner ses contemporains en septembre de la même année !

Une place est à prendre à Villeneuve-sur-Yonne, pas loin de son coin natal. L'état dépressif pour lequel Marcel a été réformé s'est évanoui comme par enchantement. Tout de suite, il se met à l'ouvrage. Pas fier, il fait un bout de causette aux femmes qui font de l'herbe à lapin, et aux hommes qui marchent, le fouet passé autour du cou, quand ils accompagnent à pied l'attelage dans les montées. Le jeune médecin gagne l'estime des paysans du lieu. Pour ses ordonnances, il a un principe : il prescrit des doses à faire tourner la tête. Dame, ne dit-on pas que les pharmaciens trichent sur les quantités dans les préparations...

Pendant deux ans, il est assagi par la présence d'une jolie Louisette, beaucoup servante, un peu maîtresse. Elle le quitte. Il en a de la peine, et ça se voit. Mais c'est la vie. La séparation de sa jeune enfance a été tellement plus tragique.

En pédalant sur les chemins, on devient populaire. De plus, le docteur, un notable, bouffe du curé à tous moments de la journée. En 1927, les élections sont chaudes. Louisette est retrouvée noyée juste après avoir quitté son médecin de patron : elle venait de lui confier qu'elle était enceinte. On jase. Mais cela n'empêche pas le docteur de devenir maire de la commune.

Il devient un parti très possible, et même recherché. Une jolie brunette, mince comme un fil, la fille de la grande charcuterie, le trouve à son goût. La voilà devenue Madame la Mairesse.

Gérard naît en 1928. Il faut dire que Villeneuve-sur-Yonne est un lieu qui fleure bon le temps d'autrefois. Les deux portes monumentales qui mettent des points d'orgue à chaque extrémité de la rue Carnot voient défiler tout ce que la ville compte de cossu. Le quai ensoleillé — l'autre ne compte guère — dort au bord de la rivière en supportant patiemment ses vieilles maisons. Les balcons ouvragés et les fenêtres à meneaux parlent à leur manière. La douceur et la lenteur de la province est à peine éveillée du bruit des automobiles qui sont peu nombreuses ici.

Les marchés du mardi et du samedi réunissent femmes et dames : poulets, œufs et légumes en tas colorés marquent la frontière inviolable. Dans la courtoisie protectrice d'un côté, et le respect narquois de l'autre, ces êtres sont irremplaçables dans l'art de dire en se taisant... Ce système convient bien à Marcel. Trop bien. Il ne peut pas laisser aller longtemps les choses sans, par moments, relancer les dés en jouant sa vie et sa mort. Elu au Conseil Général en 1931, le voilà compromis dans un vol d'huile. Et confondu dans un vol de courant électrique. L'E.D.F. est certes plus puissante que n'importe quel particulier. Il ne s'agit plus là de la petite Louisette, ni même de cette femme tuée après avoir été dépouillée de ses biens, dont il a constaté la mort en tant que médecin de l'état civil. L'E.D.F. attaque et Marcel est cassé au conseil général. Il quitte aussi la mairie. Quelle importance, songe Marcel. Tout cela n'est pas grave et il n'est pas atteint pour si peu de chose. Sa faculté d'indifférence le protège des avatars de la vie. N'a-t-il pas vécu le pire ?

1933. Au Mans, les sœurs Papin massacrent leurs patronnes. En février. Au mois d'août, c'est à Paris Violette Nozières qui empoisonne ses parents. Notre homme, lui, s'installe au 66 de la rue Caumartin, entre la rue Auber et le boulevard des Capucines, tout près de l'Opéra. Bourrée le jour, cette artère se vide le soir. De longues files de fourmis humaines rejoignent leur gîte plus ou moins lointain : avec la loi Loucheur, la banlieue se peuple. Les habitants des étages élevés, eux, ne bougent pas. Notre Marcel commence à travailler, dûment précédé d'une publicité outrancière.

Ce qui est irritant, en cette affaire, pour nous habitués à ranger les gens en « bons » et en « méchants », nous qui nous cramponnons à notre bonne conscience selon le jeu de la paille et de la poutre, c'est que Marcel est connu comme bon, gentil avec les pauvres gens. Charitable, même. Bien sûr grossier, avec des côtés potaches. Les escapades auprès des prostituées continuent. Mais quoi ? Ne faut-il pas laisser respirer le diable ?

Tout est trop tranquille pour la fracture de son cœur d'enfant, trop tranquille pour ce désespoir profond qui le crucifie et le fait foncer en avant dans une agitation incessante. Une fois de plus, il lance les dés : il vole un livre à l'étalage en 1936, et il se fait prendre.

Bien sûr, son motif de réforme le sauve. Il est même hospitalisé enfin pendant sept mois. Un médecin clairvoyant le déclare irrécupérable et dangereux. Mais il sort, et on le laisse reprendre sa clientèle. Pour la deuxième fois, le diable sort de la boîte où Marcel, inconsciemment, avait tout fait pour le tenir enfermé. Le diable n'a pas le droit de dormir tranquille, apparemment.

La guerre, l'occupation. Le premier hiver où, les pieds dans des bottes de caoutchouc on essayait de se tenir debout sur le verglas. Celui qui gaine les grilles entourant les arbres est le plus traître. La faim et le froid. Les vieux et les petits crèvent comme des mouches.

116

MARCEL

Le médecin achète en 1941 cet hôtel de la rue Le
Sueur. Il paie par mensualités, il n'est pas encore
riche. Bien qu'il soit « compréhensif », il n'a pas
d'argent. En ce temps-là, les I.V.G. s'appellent avor-
tements, et sont punis de prison. Ce n'est pas évident
d'en faire, même si ça rapporte. En février 1942, un
voisin, un fourreur qui sent la déportation dans l'air
lui confie sa panique en jouant au bridge. Tout d'un
coup Marcel lui propose de le sauver en le faisant
passer en Amérique du Sud. « Sauvé », pense Gischni-
now. Oui, mais trop définitivement. Il inaugure la
ligne.
  Au milieu du mois de février, Marcel est compromis
dans une affaire de drogue : deux étranges disparitions seront plus tard imputées à son passif. M⁰ Floriot le défend, et notre homme s'en sort pour une bouchée de pain. Chez un coiffeur de la rue voisine, on
est entre soi, au premier étage. Il se dit qu'un certain
« Docteur Eugène » a organisé une filière d'évasion
qui fonctionne si bien qu'il n'y a jamais un accro-
chage. Peu de nouvelles de ceux qui lui ont fait
confiance, mais à cette époque... Au fil des mois,
l'hôtel du XVIᵉ s'encombre. Un bon petit déménage-
ment y pourvoit. L'amoncellement de bagages est
évacué chez des amis. Nous sommes en 1943. La
Gestapo n'apprécie pas du tout, en tant que service
de fonctionnaires zélés, que certains échappent à leurs
bons soins en évitant la « solution finale » et les
« camps de travail par la joie ». Alors, elle cherche.
Plus exactement, deux services rivaux cherchent. L'un
promet à un malheureux et à sa famille d'avoir la vie
sauve — contre deux millions et demi, s'il vous plaît —
et espérant que cette chèvre les conduira jusqu'au trop
fameux docteur Eugène : Yvan Dreyfus est donc sorti
de Compiègne. Les nazis suivent de loin. Yvan Dreyfus
disparaît. Du coup, l'autre service opère en force,
envahit le magasin de coiffure où se négocient les

contrats, et remonte la filière jusqu'à la rue Caumartin.

Marcel se retrouve rue des Saussaies. Abominablement torturé comme les autres, il se tait. Son courage
fait l'admiration de tous. La rue Le Sueur n'est pas
repérée : incroyable, mais vrai. Quant à ceux qui font
facilement le tour de la question en disant que si
Marcel parlait, il se condamnait à mort, ils vont un
peu vite. Pourquoi disputer à cet homme une frange
de lumière ? Ses compagnons de cellule, à Fresnes,
n'ont jamais douté de lui. Il est relâché au bout de
sept mois : toujours la technique de la chèvre.
A sa sortie, Marcel commande quatre cents kilos de
chaux vive. « Pour assainir l'hôtel », précise-t-il. Il
ne ment pas ! Il y a beaucoup de monde dans la
fosse, en mars 1944. Le 11 mars 1944, le feu met un
point final, croit-on, à la carrière de cet homme.

Août 1944. L'insurrection du peuple de Paris. Inu-
tile, a-t-on dit, mais sans doute nécessaire pour laver
la honte et retrouver l'honneur. Nous ne sommes pas
encore dans l'avilissement des vengeances particu-
lières, ni dans la ballade des femmes tondues.

Les Allemands ? Sur le marché, un dimanche, avenue de Vincennes, un brave pépère réserviste rêve
de son retour à Munich en faisant semblant de ne pas
voir les petits bouquets bleu-blanc-rouge qui se vendent ouvertement. Les drapeaux se cousent la nuit.
Mais c'est le commencement de la fin du grand Reich.
Voir les soldats couchés à plat ventre sur le plateau
des camions, tenant la rue en joue, ne donne pas spécialement envie de se balader au soleil de l'été ! Tout
le monde est derrière les persiennes fermées, retenant son souffle. En vingt-quatre heures, les barricades couvrent Paris, et sur les barricades l'on vit
et l'on meurt : les nazis tuent et torturent encore.
Dans les jardins du Luxembourg, on retrouvera les

corps de malheureux gardiens de la paix abominablement traités.

Sur les toits de Paris, les miliciens tirent. Ceux-là n'ont plus rien à perdre. Pour eux le plus doux sera le poteau d'exécution. Ils font avant d'y laisser la peau tout le mal possible. Les files d'attente sont vulnérables. Les gens ont faim. Ils sortent, malgré le danger. Pétain a été acclamé deux jours avant le début des combats. De Gaulle l'est à la fin, le jour où les chars alliés sont entrés dans Paris. Sur la même place de l'Hôtel de Ville : les gens se couchent sous le tir des perdants embusqués sur les toits. Ils tuent du monde.

... Sur les chars alliés, ces hommes noircis de poussière sont étouffés par ce qui est indescriptible, la respiration d'un peuple libéré. Tout le monde pleure, rit, s'embrasse.

Les « bons » Français ont changé de camp. Il s'agit de repérer les « mauvais ». Il y en a beaucoup, de bons Français. Ils sortent des pavés comme primevères du bois au mois d'avril ! Ils étaient dans le secret des résistants acharnés. Allez donc vérifier ! Un médecin, le docteur Waterwald dit « Valéry », se présente en septembre à la caserne de Reuilly pour aider à l'épuration. Nommé lieutenant d'office, le voilà bientôt capitaine. Sa secrétaire est émerveillée par les exploits qu'il raconte : cet homme est le chef d'un réseau, le réseau « Fly Tox ». Il a été arrêté, torturé, emprisonné. Il veut rendre service à son pays en démasquant les traîtres. Il obtient même un rendez-vous avec le procureur de la République pour lui expliquer ses idées sur la question. Un homme remarquable, vraiment, si doux avec les inculpés. Quant aux deux identités, qui, à l'époque, n'en avait pas autant ?

Le sensationnel s'épuise : la presse fouille dans ses cartons et ressort l'affaire de la rue Le Sueur. Voilà un article qui s'intitule : « Marcel, soldat du Reich ». Ce dernier, affirme le papier, est parti combattre avec les Allemands contre les terroristes. Ça ne tarde pas : une lettre postée à Paris arrive dans les jours qui suivent. Dix-huit pages serrées, écrites à la main...

Estomaqué, le directeur du journal publie : c'est relativement aisé de comparer l'écriture avec celles qui appartiennent aux gens qui œuvrent dans les organismes de résistants. Le 30 octobre, Marcel est arrêté à la station de Saint-Mandé-Tourelles. Il demande — pour la deuxième fois — à M⁰ Floriot d'assurer sa défense, et il est incarcéré à la Santé.

Le procès s'ouvre le 18 mars. Les psychiatres experts l'ont déclaré entièrement responsable, et ce malgré le dossier de la réforme. La Cour, les jurés et le public assistent à un véritable festival, devant un amoncellement de pièces à conviction, une vraie friperie. Mais la reconstitution rue Le Sueur est un spectacle qui descend dans la rue. Les robes noires et rouges, les uniformes, un Marcel visiblement satisfait de faire recette ! Une fois de plus, l'attention est attirée sur lui. Quelle revanche pour l'enfant rejeté par son père. Et quelle importance si les circonstances l'accablent. L'important pour Marcel, est d'attirer les projecteurs. Si maman était là !

Entre M⁰ Véron, résistant authentique, qui plaide pour la famille du malheureux Yvan Dreyfus, et le procureur général qui a prêté serment à Pétain, notre homme joue pendant dix-huit jours une tragi-comédie jamais égalée dans un prétoire. M⁰ Floriot est assisté de trois collaborateurs (« Floriot et ses boys », ironise la presse). L'avocat dispute chaque accusation, défend pied à pied, attaque, démonte, ridiculise, introduit le doute. Oui ou non, cet homme est-il un patriote qui a détruit des mouchards, et seulement ceux-là ? Ou un infâme criminel ?

Le médecin se lève, gesticule, fait des petits dessins, se permet des jeux de mots qui font tordre la salle.

120

MARCEL

Le président laisse faire. On lui reproche les femmes qui accompagnaient les « traîtres », assassinées, elles aussi. Mais que pouvait-il faire ? répond-il avec la logique de l'époque qui ne fait pas le détail. C'est comme les clous des mains et des pieds du Christ : il faut bien qu'il tienne !

Sa thèse ? Elle est simple. Il est un résistant de la première heure et a fondé un groupe, le groupe « Fly Tox », très lié avec Pierre Brossolette. Il a même inventé une arme secrète capable de tuer à distance. Il l'a essayée en exécutant deux Allemands en plein jour. Participant à de nombreux plasticages, il était, de plus, chargé du sale boulot : faire disparaître ceux qui étaient complices des occupants, et menaçaient la vie des camarades. Ceux qui se sont confiés à lui sont sains et saufs. S'ils ne se manifestent pas, c'est qu'ils sont loin, ou bien parce qu'ils ne veulent plus penser à cette horrible époque. Comment il a tué ses victimes ? Ça, c'est comme l'arme secrète. C'est son affaire. C'est trop grave pour en parler en public. Et puis, vraiment, cela devient ridicule. Pourquoi chipoter ? On lui reproche 62 morts. Il en avoue 63. Alors ?[1] Les crochets enfoncés dans le mur ? Souvenons-nous de deux choses : la chaux vive a été seulement obtenue en mars 1944, les premières disparitions dates de 1942.

Il existe rue Le Sueur une canalisation reliant directement aux égouts : un corps incliné privé de son sang, c'est facile. Ceux qui sont pris d'horreur devant cette image — il y a de quoi — devraient se dire que si cette hypothèse est juste la mort a été indolore. L'horrible monstre sadique surveillant les convulsions de

---

1. C'est vraisemblablement sous prétexte d'une vaccination nécessaire dans les pays d'Amérique du Sud où devaient se réfugier les fuyards que le médecin injectait un somnifère à sa victime. La faisant entrer dans la petite pièce triangulaire, il avait à surveiller par le viseur l'apparition du sommeil profond.

ses victimes, ça se sont les journalistes qui l'ont supposé. Quelque part cet homme a porté l'ombre du sadisme des « braves gens ». Rappelons-nous quand même, en faveur de cette thèse, qu'à la caserne de Reuilly où, si sadisme il y avait, « Valéry » aurait eu toute latitude pour l'exercer, il était lui, au contraire, très doux et patient avec les prisonniers, ce qui faisait l'admiration de sa secrétaire.

Trois séries de faits ruineront sa thèse :

— M° Véron, lui, a manipulé du plastic. Ce que répond l'accusé à ce propos montre qu'il n'y connaît rien du tout. Par ailleurs, le groupe « Fly Tox » est inconnu au fichier constitué à Londres où le colonel « Passy » recensait tous les groupes et tous leurs participants. Tout ce que raconte Marcel est directement issu des informations qu'il a glanées à Fresnes pendant sa détention. Un de ses compagnons de cellule, le lieutenant L'Héritier, rescapé d'Auschwitz a aidé à faire ces recoupements.

— La seconde : il est impossible que tous les juifs qui lui ont fait confiance aient été des mouchards de la Gestapo.

— La troisième : il y a des membres d'enfants retrouvés dans la Seine, et un petit pyjama rose.

Tous les témoins à décharge ne sont que des témoins de moralité : son compagnon de cellule lui rend un hommage ému qui stupéfie la salle.

Mais il n'y a pas un fait objectif en faveur du médecin : Marcel est un assassin gentil, populaire. Le désir de vengeance, la soif de tuer sont autant d'expressions de cet instinct de mort qui habitait l'enfant trop tôt orphelin. La mère complaisante disparue, Marcel s'est cogné contre la vie comme une mouche qui cherche la lumière et trouve la vitre fermée. Sans sa mère, point d'issue, alors, qu'a-t-on à perdre et de quelle autre passion va-t-on se nourrir ? La mort des autres, peut-être...

122

MARCEL

Malgré les fautes du procureur général, les erreurs manifestes dans certaines dépositions, les scènes ridicules, malgré Mᵉ Floriot qui plaide six heures, le jury, à minuit moins cinq ,en ayant délibéré, rentre de nouveau dans la salle des audiences. Nous sommes le jeudi 4 avril. On réveille Marcel qui dormait paisiblement. Il s'entend condamner à mort sans manifester la moindre trace d'émotion, signe son pourvoi en Cassation. Ramené en prison, il tâche de se battre. Mais son pourvoi est rejeté le 16. Alors il se distrait, met la dernière main à une « martingale »...

Le 26 mai 1946 on réveille le médecin au petit matin. Ce dernier fait calmement sa toilette et revêt son plus beau costume. Puis demande à écrire à son fils, ce qui lui est accordé. Quatre pages d'une écriture serrée, c'est long ! Cette écriture qui l'a perdu, lui qui s'apprêtait à partir pour l'Indochine !

Un des assistants verdit. « Mais secourez-le, il va se trouver mal ! » dit le condamné. Repoussant le vieil aumonier qui s'approche pour le bénir, il le laisse faire quand il apprend que c'est sa femme qui le souhaite.

« Et maintenant, messieurs, un dernier conseil : ne regardez pas, cela ne va pas être beau ! »

Il embrasse son avocat qui lui demande s'il n'a rien à révéler... « Maître, je suis un voyageur qui emmène ses bagages... »

Le couperet tombe pour la troisième fois. Mais là il est réel, et met fin à la vie criminelle du docteur Marcel Petiot.

Cet homme était double, arraché en deux moitiés qui alternativement le poussaient à agir. Il a tenté plusieurs fois de se protéger et de protéger les autres de ce côté infernal qui se réveillait parfois en lui : à chaque tentative, on l'a remis en circulation, car il était sauvé par une intelligence machiavélique.

M⁰ Floriot a dit que jamais il n'avait rencontré un tel mépris de la mort : demandons-nous si Marcel n'était pas « mort » dans sa petite enfance, survivant en subissant les attaques de celui qui deviendrait le « docteur Satan ».

Le frère, le bon gros bébé, a-t-il toute sa vie expié la culpabilité involontaire d'avoir, dès sa venue au monde, chassé Marcel du giron maternel ?

7.

JEAN

une mère captatrice

... Elle n'avait pas agonisé des mois et des mois dans l'anxiété la plus funeste pour voir sa tendresse entravée, et admettre que, ayant par miracle retrouvé son fils, elle dût le partager de nouveau dans une lutte inégale.

Elle éprouvait dans chacune de ses cellules, la souffrance des heures perdues et désertes. Elle voulait les rattraper, connaître chaque mouvement, chaque respiration de Jean.

Joseph KESSEL.

LA PREMIERE BALLE
Ce texte est une description de l'importance de la mère dans le destin de Jean Jaurès.

Comme ce lit est dur ! Dans un geste machinal, ses mains tentent de ramener vers le haut une couverture invisible, râtissant doucement son gilet déboutonné. Son corps essaie de trouver une position moins inconfortable : décidément, il est aussi mal que dans un lit d'interne !

Un sourire détend le visage presque immobile : ceux qui l'entourent et le savent gravement blessé sont ahuris. Comment pourraient-ils deviner que Jean se trouve à bien des lieues de là, il y a très longtemps, dans la cour de récréation du Collège de Castres ? Son nez s'est empli de l'odeur des platanes au printemps. Le goût des fraises de son dessert a disparu. Les arbres coupent les rayons du soleil déjà chaud. Le soir rouge de juillet annonce la distribution des prix...

127

LA MERE ABUSIVE

L'événement de l'année. M. le Préfet, en redingote, se place sur l'estrade, à côté de l'officier commandant la place en grand uniforme. Le troupeau des professeurs, encadré du Proviseur et du Censeur, meuble le fond. Devant, les piles de livres.

Au pied de cet échafaudage, la clique. Derrière, les familles au grand complet : même les pères se sont dérangés.

La « Marseillaise ». Ce chant là, en Languedoc, c'est déjà un combat qui se prépare. Au pays où les Capitouls faisaient respecter un ordre quasi-démocratique alors que la royauté tenait le reste du pays, on ne plaisante pas avec la liberté.

Oui, songe Jean, Voltaire a été très bien dans l'affaire Callas.

Le voilà ramené par la houle du souvenir dans la salle des prix où les agrès relevés pendent du plafond. Il est souvent appelé et rapporte à la maison les livres rouges à tranche dorée que sa mère range pieusement dans l'armoire de la salle. Elle était fière de son fils. A l'automne, la famille se transportait chez la grand-mère, dans le Bordelais. C'était le temps des champignons où, au petit matin, il apprenait à découvrir les cèpes. L'odeur des champignons dans le sous-bois... Le souvenir d'un bonheur calme, en compagnie de Louis, son cadet d'un an. Adélaïde, la mère, surnommée Mérotte, veille sur un royaume où les draps pliés dans les armoires font de rassurantes piles.

Le sourire s'accentue sur le visage de l'homme à la barbe presque blanche.

Les visages de tant et tant de pauvres gens passent devant ses yeux, ceux dont il s'est fait l'avocat. La Révolte des Vignerons. Le phylloxéra. Les victoires et les échecs.

JEAN

Dans la rue, les gens crient, alertés par les coups de feu. Ici les amis se taisent. Un adolescent aux yeux brillants a été emmené par deux sergents de ville. Quant au pharmacien d'à côté, il a refusé les médicaments dès qu'il a su pour qui ils étaient : il n'est pas aimé des bourgeois, cet homme dont les mains tentent toujours de remonter sur lui une couverture inexistante. Son corps est étalé, inerte. Pourtant sa tête fonctionne. Le voici sur le bout de route qui sépare la Fediale de Castres, son petit frère sur les talons. L'aîné, le Gros, et le cadet, le Roux, ne se séparent quasiment jamais.

Le petit bien familial est une grande maison de pierres roussies qui enserre de ses communs une cour en terre battue. Le bâtiment semble se cramponner de toutes ses forces au toit de tuiles rondes, craquelées par le soleil. Les mèches frisées de la treille coulent jusqu'au sol près du mur. A droite de la porte, un banc fendillé fait une tache blanche : le « fief » du père. Jean sort à peine de l'enfance que ce pauvre homme atteint d'une maladie nerveuse commence à s'enrouler sur lui-même.

Il clopine sur des béquilles, maudit la République, houspille la pauvre Mérotte, quitte à lui faire ensuite des excuses en retirant son grand béret noir. Il souffre sans vouloir le montrer.

Les deux garçons font ce qu'ils peuvent. Mis au Collège de Castres, avec l'aide financière des grands-parents des deux côtés, ils déboulent chaque jour vers la ville, et aident leur mère le dimanche. Chaque matin leur départ secoue la maisonnée avant le jour. De sa chambre, Jean entend tinter la grosse casserole de lait.

Une ombre descend la première, encapuchonnée de blanc. Elle marche sur ses bras pour ne pas réveiller ses fils que le Collège va lui prendre pendant une longue journée. Bien sûr, elle aime le Roux de tout cœur. Mais avec son aîné, il en va autrement : ces choses-là ne se discutent pas. L'enfant le sait. Il guette le doux roucoulement de palombe : « Jean, mon Jean ! ». Le garçon jaillit instantanément de sa citadelle de plumes, prenant bien garde à ne pas éveiller Louis qui dort près de lui, fourre sa chemise à liséré rouge dans sa culotte, et descend en vitesse vers la cuisine. Faire attendre Mérotte n'est pas possible.

Sur la table, quatre bons gros bols à fleurs sont préparés. Du miel, des morceaux de sucre cassés à la hachette la veille. La mère et le Gros se chuchotent des choses. Il y a entre eux, non seulement les complicités et les tisanes des maladies enfantines, l'écoute attentive de la mère, les grosses moues de l'enfant, mais encore comme une secrète parenté : Jean, c'est l'âme de Mérotte, et Mérotte, c'est la douce conscience de Jean. A voir sa mère pleurer sur les oiseaux aveuglés pour améliorer leur chant Jean apprend mieux que par tous les cours de morale à défendre les faibles et à canaliser sa force pour mieux s'en servir.

Chez cette femme dont le mari est gravement malade, la fonction maternelle se développe jusqu'à remplir toute sa vie affective. Et pourtant, sauvegardant à tout prix les traditions et les apparences, elle élève ses fils dans le respect du père, dont personne, par exemple, ne songe à contester l'autorité sur l'exploitation familiale. Mais la personnalité de Mérotte est telle qu'elle prend toute la place dans le cœur de ses enfants. Elle les couve à tout instant et mobilise pour eux toutes ses réserves de tendresse. Ainsi sans le vouloir, au fil des jours, le père, quoique respecté, s'exclut peu à peu du cercle.

JEAN

Mérotte sait que Jean est un génie. Très jeune, c'est déjà un élève exceptionnel. Il est remarqué par un inspecteur général de l'université, un certain Deltour. Laisser Jean devenir postier comme il en a l'intention pour ne pas s'éloigner de sa mère, ce serait un beau gâchis. Mais cela n'est pas facile — ni d'obtenir la bourse nécessaire, ni de convaincre le jeune homme. Cependant, à la fin de sa Rhétorique, il monte à Paris.

Interne à Sainte-Barbe la nuit, il fréquente la classe de philosophie du lycée Louis-le-Grand le jour. De la rue Valette au boulevard Saint-Michel, il n'y a pas loin. Jean va souvent à la bibliothèque Sainte-Geneviève, haut vaisseau silencieux dont les tables sont éclairées de lampes à pétrole tamisées de vert. Les camarades s'amusent un peu. Lui travaille.. Il est admis à l'Ecole Normale Supérieure. Mais la lutte a été dure. Le paysan en lui supporte mal la grande ville et l'absence des courses folles dans les terres. Parmi ses condisciples, se trouve Henri Bergson. A Normale Sup., les garçons s'amusent ferme. Le talent oratoire de Jean les suffoque déjà. Son incroyable mémoire aussi. Mérotte ne s'est pas trompée sur son fils. Le jeune homme qu'il est devenu est à la hauteur de ses espoirs les plus fous.

Le sourire de l'homme s'est encore élargi. La tache de sang sur son plastron, aussi.

Il pense à Albi, où il est nommé professeur de philosophie au sortir de Normale. Et aussi à Marie-Paule, la voisine de la Crouzarié, qui lui plaît bien. Sa mère et Mérotte sont très liées, et c'est ce qui encourage Jean à imaginer quelques projets. Mais le père de Marie-Paule n'est pas décidé à se séparer si vite de sa fille unique. Il n'y a plus qu'à attendre, entre deux rencontres platoniques d'après-messe. Ainsi se passe l'année 1881.

LA MERE ABUSIVE

L'enseignement passionne Jean, mais l'entrée dans la vie active lui a ouvert les yeux sur les réalités et il a découvert de plus près la misère des pauvres gens. Sa sensibilité à vif, la même que celle de sa mère, en est atteinte.

Dans les mois qui suivent, le père décline tout d'un coup et sa mère se retrouve seule à la Fédiale. Il y a déjà longtemps que le cadet est entré à l'Ecole Navale. Au moins Jean a la satisfaction de pouvoir enfin aider sa mère. Il passe auprès d'elle une bonne partie de l'été. Il y est heureux, car en parfaite sécurité : Mérotte l'approuve en tout, même lorsqu'il se met à parler de sa pitié pour les miséreux, même quand il lui dit ses révoltes contre l'ordre établi. Mérotte assiste à la naissance de sa vocation politique et une fois de plus elle se réjouit de ce qui est, pour elle, l'expression de la générosité toujours vivante de cet enfant qui décidément ne la déçoit pas.

A la rentrée, on apprend les fiançailles de Marie-Paule avec un avocat. Sans doute les prises de position de Jean ont-elles effrayé l'entourage de la petite. Blessé et déçu, Jean est nommé maître de conférences à la Faculté des Lettres de Toulouse. Apparemment, on a créé le poste pour lui.

Mérotte le suit. Elle tient leur petit ménage au 7 de l'avenue Frisac. Coiffé d'un melon les mauvais jours, et d'un panama à la belle saison, Jean s'entortille dans de vieux paletots et promène sa barbe blonde d'un endroit de Toulouse à un autre. Mais une promenade est sacrée, celle qu'il fait faire à sa mère tous les soirs. Il la conduit place des Lices. Quand par hasard il y rencontre un camarade aussi passionné que lui, il conduit Mérotte à un banc, et revient la chercher, quelquefois beaucoup plus tard, s'excusant d'un sourire. Suivant régulièrement le même parcours, après être passé avenue Brissac, Jean file dîner au Café de la Paix. Là, tout le monde parle politique. Jean est républicain depuis longtemps, et ce qui se passe dans la région asservie par l'union de quelques grandes familles n'est pas pour changer ses idées. Les charbonnages, les verreries, les chantiers navals, tous les industriels marchent du même pas. Cependant que la vigne commence à mourir.

Pendant la soirée, Jean donne ses cours à la Faculté. Mais il ne se contente plus de cette vie. Si son enseignement lui tient aux tripes, la politique prend pour lui de plus en plus d'importance. C'est l'époque où les Communards amnistiés rentrent de Calédonie. Jean se laisse mettre sur une liste d'Union Républicaine, puis tout d'un coup se jette dans la bagarre à sa manière, à coups de conférences éclatantes. La mère a peur, et elle a raison : les autres sont capables de tout. Mais là, Jean suit son idée. Il est élu député de Castres en 1885, à vingt-six ans. D'après ce que dit le dicton, un bonheur n'arrive jamais seul. Une jeune fille de dix-sept ans, Louise Blois, une beauté pour l'époque, ne le trouve pas mal du tout. Et les parents non plus, ce qui est plus étonnant. La demande en mariage est agréée.

Les yeux bleus s'ouvrent, semblent suivre quelque méandre invisible, comme le fil d'une eau tranquille.

Louise a dit « Oui » un matin où ils faisaient du cheval ensemble sur les bords de la rivière. Les volants de sa robe effleuraient parfois les bottes du jeune homme et à y resonger encore aujourd'hui le cœur lui saute dans la poitrine.

Il gémit. Tout d'un coup, il a mal. Les amis se précipitent. Mais non, Jean est reparti.

Il se retrouve dans le cabriolet acheté pour parcourir le département pendant la campagne électorale. Il chatouille les oreilles du cheval avec la mèche de son fouet. Mais c'est pour rire. La bête le sait. Pour plaire

133

à Louise, il s'est habillé avec soin. Quant à elle, enroulée dans la mousseline blanche de sa robe, on devine son corps sculptural. Un sourire doux, des yeux gris et qui le regardent bien droit (malgré les leçons de la pension où elle a appris que regarder un homme est déjà un péché...), des cheveux aux reflets roux, noués sur la nuque par un large ruban de velours noir... Descendant de Cathare, cet homme qui dévore comme Gargantua a pour les choses de l'amour un respect quasi-religieux. Est-ce un manichéïsme de tradition propre au Languedoc ? Est-ce l'influence de sa mère ? Qui sait ? Simplement, il trouve que Louise fera une jolie femme de parlementaire.

L'année suivante, les voici mariés : à l'église — et pourquoi pas ? La droite cléricale est une chose, la foi une autre. Jésus n'est-il pas le premier à avoir tout partagé ? Robe blanche à ruchés, mètres et mètres de tulle blanc, invités qui se bousculent et s'empiffrent, repas monstre, photographe, rien ne manque. Dans ce tourbillon, les yeux de Louise sourient.

Le couple monte à Paris, avenue de la Motte Piquet. Monsieur le plus jeune député de la Chambre entre en fonction. Bien sûr, Mérotte ne l'a pas quitté. La relation entre bru et belle-mère n'est pas facile. Mais Louise a beau être aussi nonchalante, voire paresseuse qu'une demi-douzaine de baké, ces Blanches des Antilles, Jean l'aime ainsi. Dès janvier 87 elle lui sert de secrétaire, car il collabore à « La Petite République ». Quand elle ne l'aide pas, elle se laisse vivre, blottie sous un gros édredon de soie. Lorsque Jean s'attarde en séance au Palais-Bourbon, c'est une forme noire qui est blottie là où, l'après-midi, se pressent les belles invitées : Mérotte boit les paroles de son fils, ne le quitte pas des yeux comme si elle pouvait de son amour faire une cuirasse invisible. Quand Jean sort, épuisé, il retrouve le cabriolet de l'autre côté du pont, près de la Concorde. Mérotte y est, toujours fidèle au poste. Il la gronde chaque soir, et tous les soirs il la trouve là. Au cahotement tranquille du cheval, les deux complices retournent vers l'épouse qui dort tranquillement, en travers du lit conjugal.

Entre la mère pleine d'angoisse, et sa femme, placide, il y a tout l'écart que donne la sécurité par la fortune. Adélaïde a toujours compté, manquant toute sa vie d'un sou pour faire un franc. Louise a vécu et vivra protégée. Les craintes de sa belle-mère pour la vie de Jean ? Louise, doucement ironique au départ, ne les supporte bientôt plus. Et pourtant ! La flambée du Boulangisme bat son plein. De voir cette vieille femme se précipiter à chaque roulement de voiture sur la fenêtre, ce n'est plus tenable. Louise exige que Jean conduise sa mère dans une maison de vieillards à Versailles. La voici enceinte. Jean obtempère.

Jean n'a pas d'illusions sur les prochaines élections : il a soutenu les syndicats ouvriers, est intervenu en faveur de la sécurité des mineurs, a dénoncé la collusion de l'Eglise et des grands possédants... Prévoyant la suite, il demande à reprendre son enseignement à Toulouse à la prochaine rentrée. Coup de chance : la place est libre.

Il perd son siège, et voilà toute la famille redescendant vers le Sud-Ouest. La mère fait partie du voyage, mais Jean l'installe dans un autre appartement. Le couple pose ses pénates place Saint-Pantaléon, et accueille la petite Madeleine.

Comme autrefois, Jean vient offrir son bras à sa mère pour l'emmener promener sur la même place des Lices. Comme autrefois, il la reconduit et part vers le Café de la Paix avant son cours à la faculté. Son enseignement est un triomphe : en dehors de sujets relativement classiques, il traite d'un autre thème qui lui tient à cœur : le socialisme allemand.

Sa notoriété est telle qu'il devient en quatre mois deuxième adjoint.

La journée internationale du 1ᵉʳ mai s'était bien passée, en 1890 : la première, réclamant la journée de huit heures ! Celle de 1891 se passe très mal à Fourmies. On décompte neuf morts et trente-trois blessés. Les mêmes fantassins ont chargé sous les pierres, et ont tiré.

Dans le sud, le grondement populaire s'amplifie. Le phylloxéra fait des ravages. Et puis la conscience de classe apparaît. Les traminots de Toulouse ne consentent plus au travail de seize heures : ils demandent des journées de douze heures, très calmement. Mais la réaction est dure. Les finasseries des patrons déclenchent la bagarre. Un compromis finit par être signé. Jean le soutient, la grève est un moyen de pression qui lui paraît compromettre la propriété privée. Le progrès peut éviter de passer par ce genre d'épreuve de force. C'est en tout cas ce qu'il croit à cette époque.

Pourtant l'universitaire ne chôme pas. Le voilà reçu en Sorbonne pour soutenir deux thèses, l'une en français, l'autre en latin, et cette dernière montre combien il est concerné par le problème politique puisqu'il s'est agi pour lui de remonter aux sources du socialisme allemand. Le voilà docteur en Philosophie. Mais le bonnet carré ne lui tombe ni sur la vue ni sur les oreilles. Aux charbonnages de Carmaux, c'est la crise, et une crise qui met le suffrage universel en péril : un mineur, élu maire, est licencié parce qu'il s'absente le temps de remplir ses obligations municipales. La troupe est sur les lieux, l'arme au pied. Le patron des charbonnages finit par accepter un arbitrage. Jean a permis d'éviter le pire.

Le voilà candidat de Carmaux. Il est élu en 1893, c'est une montée sociale indiscutable. Au Parlement, enfin, le groupe socialiste devient cohérent. C'est au mois de décembre que s'ouvre la plaie de l'anarchie. Paul Vaillant commence, d'autres continueront et resserreront sans le réaliser le nœud coulant autour des libertés qui, en 1894, seront étouffées. Car l'automne de la même année voit une autre affaire prendre le devant de la scène : « l'Affaire ». Elle y restera jusqu'en 1906. Sur la foi d'un bordereau qui serait de son écriture, le capitaine Dreyfus est condamné pour haute trahison à la dégradation et à la déportation à vie. Jaurès s'indigne : s'il est vraiment coupable, pourquoi ne pas le fusiller ?

En avril 1895, il fait un voyage en Algérie : il prend des positions pro-arabes. A son retour à Carmaux, l'agitation règne chez les verriers. Les mineurs les jalousent car leur paie est le double de la leur. boire vingt litres d'eau par jour, souffler les bouteilles à la bouche, avoir les poumons brûlés dès quarante ans !

Les gendarmes chargent : Jean est coincé contre un platane par un gendarme à cheval qui lui conseille de se cacher : l'ordre a été donné de le tuer. La coalition de la droite fait merveille : Jean, étouffant de fureur, martèle les oreilles des députés, criant de quelle manière ignoble les grévistes ont été traités. C'est le Premier Ministre qui s'en va.

Comment résoudre à long terme le problème des verriers ? Après bien des discussions, la solution la plus juste paraît être la création d'une Coopérative ouvrière. On construira donc l'usine du peuple, par le peuple et pour le peuple ! En février 1895, les ouvriers verriers quittent Carmaux en chantant, le baluchon sur l'épaule, sans se retourner. Tout est à bâtir, et ni la maçonnerie ni la charpente ne sont leur métier ! Qu'importe. Les camarades du bâtiment leur expliquent, tout le monde y met la main après ses propres heures de travail. C'est une ruche. Dès octobre tout est terminé. Un grand banquet réunit ceux qui y ont travaillé. Jaurès est là, bien sûr. A la fin du repas, les cœurs parlent. C'est la « Marseillaise », celle du pays d'Oc. Puis les anciens reviennent à la mémoire, ceux qui ont payé pour que de tels instants soient possibles... On chuchote, et le bruit monte. Jaurès hésite, visiblement partagé sur son devoir. Enfin, il saute sur la table comme on se jette dans la mer, et entonne « La Carmagnole », puis le « Ça ira », ces chants de la grande révolution. Car Jean, assistant à Londres au Quatrième Congrès du Parti Socialiste, a définitivement choisi d'y travailler.

S'il s'y implique à fond, comme on entre en religion, c'est que le processus enclenché par Mérotte pleurant au chant des oiseaux aveuglés est désormais irréversible. D'une émotivité simple, l'esprit de Jean a construit toute une philosophie politique. L'attachement de sa mère s'est décanté au fil des ans pour devenir une révolte en actes. Tandis que Mérotte a vieilli, Jean s'est investi de ce qui le touchait chez elle. Il vibre aussi devant le malheur, mais en homme, conscient et actif : il ira jusqu'au bout de ses idées. Mérotte, d'abord fière de la réussite de son préféré, est de plus en plus effrayée par l'extrêmisme de son engagement.

Elle ne vit plus auprès de Louise et Jean. Louise semble donc avoir gagné mais en ce combat souterrain de femmes, c'est Mérotte qui sort victorieuse. Car le grain semé a fait de son fils un tribun admiré, un homme célèbre, un défenseur des droits, un humaniste. Mais sur le plan personnel, Jean reste et restera toujours, quelque part, inaccompli.

Au mois de novembre, Bernard Lazare tente de convaincre Jean de l'innocence du capitaine Dreyfus (toujours exilé à l'île du Diable) mais notre homme est poli, sans plus. Ce conflit on ne peut plus bourgeois est loin de sa pensée. Lui est en plein dans les souffrances des ouvriers agricoles que le machinisme réduit peu à peu au chômage.

Un an plus tard, en 1897, une lettre de Matthieu Dreyfus dénonce le vrai coupable, Esterhazy, commandant, hongrois, jouisseur et parfaitement anti-français. Elle tombe dans un silence quasi-indifférent. Il faudra attendre janvier 1898 pour qu'en quelques instants la France se coupe en deux et qu'entre les morceaux flambe une haine aveugle. Dans chaque famille la faille devient un abîme, et ne sont pas rares les jeunes gens de province qui montent à Paris pour être libres de penser l'innocence du malheureux. Emile Zola, ce grand honnête homme caché sous l'apparence d'un petit professeur barbichu portant lorgnons, lance dans « L'Aurore », son journal, son « J'accuse ! ». Les irrégularités de la procédure sont étalées au grand jour. Jean est solidaire de Zola et du condamné.

En août 98, il s'engage en son nom (les socialistes ne veulent pas se mêler d'une querelle de classe) dans une série d'articles, intitulés : « *Les preuves* » [1].

Le ministre de la Guerre fait rouvrir le dossier. Il met aux arrêts un des officiers faussaires qui se tranche immédiatement la gorge, victime de sa conception du devoir. Rien n'y fait. C'est une escalade : soit, il y a eu des faux, mais c'est pour protéger le pays du choc que lui causerait la mise en circulation des véritables preuves. Il n'y a rien à faire. Une seule

---

1. — Les prétendus aveux faits par Dreyfus à l'officier qui le gardait avant sa dégradation ont été signés par ce dernier trois ans après le procès. Dreyfus les a toujours refusé comme provenant de lui.

— Le bordereau a été écrit par Esterhazy qui avait de plus reçu un petit bleu de l'attaché militaire allemand. Le colonel Picquard l'affirme. Du coup, cet honnête homme est mis au ban de ses camarades et accusé de faux. Logique.

— La pièce où Dreyfus est nommé en toutes lettres est manifestement un faux, sorti de la manche comme un lapin d'un chapeau. Quelle idée bizarre de s'écrire entre attachés militaires qui se voient tous les jours !

chose est drôle : ces prétendues pièces comporte-
raient une lettre personnelle de Guillaume II à Dreyfus. La situation est bloquée, les bandes antisémites
quadrillent Paris, et dans son asile de Versailles
Mérotte tremble.

En février 1899, le destin intervient : Félix Faure
meurt « dans les bras » de Meg Steinheil, juste après
avoir reçu le prince de Monaco venu lui affirmer au
nom de Guillaume II l'innocence de Dreyfus. Emile
Loubet qui lui succède à la présidence de la République est convaincu de cette innocence.

Comme par hasard, Jean se voit retirer son enseignement en Sorbonne. Sa place à Toulouse est prise.
Reste à vivoter en codirigeant « La Petite République ». Il fait toujours campagne pour l'unité socialiste, mais le vent a tourné, la droite fait une telle
obstruction que sa vie et celle de ses partisans est
menacée. Il perd son siège.

Le départ de Carmaux est abominable. Des pierres
tombent des balcons, il avance sous les huées. « Jean
la honte ! » Le petit peuple ne lui pardonne pas d'avoir
touché à l'armée et à sa notion de la patrie.

Une grimace tord le visage du blessé : cela a été si
terrible !

Quand même, à enfoncer les clous des mots, le cours
des choses avance. Le gros homme ne lance pas inuti-
lement ses périodes à travers sa barbe blonde. La
cours de Cassation déclare le premier jugement de
Dreyfus nul et non avenu, le renvoyant devant le
conseil de guerre de Rennes.

Le second procès se déroule d'août à septembre
1899. Les juges ouvertement hostiles à Dreyfus devien-
nent de plus en plus perplexes. Finalement Dreyfus
est déclaré coupable, mais avec les circonstances atténuantes. Solidaires de leurs compagnons d'armes, ils

140

s'en sortent comme Ponce Pilate. Qu'est-ce que cela veut dire, la haute trahison avec circonstances atténuantes ? fulmine Jean.

L'armée n'ira pas plus loin. Le détenu est épuisé. Clemenceau craint que d'accepter la grâce ne freine le procès en réhabilitation, mais faut-il donc que cet homme meure ? Dreyfus accepte difficilement la grâce qui lui parvient le 19 septembre.

Le balancier politique hésite et revient vers la gauche : Jaurès annonce une « Histoire socialiste » et des mesures concrètes sont prises en faveur des travailleuses : pour les femmes, la journée de travail sera limitée à dix heures. Quant à la parité de salaire avec les hommes, c'est une autre histoire : à travail égal, elles gagnent la moitié.

Les viticulteurs reprennent courage, et Jean les voit de près. Il refait campagne à Carmaux, et malgré les mauvaises langues qui lui font grief de la première communion de Madeleine — Louise y tient, et puis pourquoi pas ? — le voilà réélu en avril 1902. Toute la famille remonte, s'installant au 1 Villa de la Tour, à Passy.

C'est une petite enclave de silence, fermée par deux lourdes grilles, qui réunit la rue Eugène-Delacroix à la rue de la Tour. Comme d'autres lieux du vieux Paris, ce sont de petites maisons en brique de deux étages et à toiture d'ardoise. Leurs portes sont précédées d'un jardin de poupée. Des arbres ombragent le pavé où l'herbe pousse tranquillement.

Il était temps. La grève générale des mineurs l'entend plaider pour la conciliation, puis le voilà parti dans le Nord, à cause de la grève des textiles. Entre-temps il aura été nommé vice-président de la Chambre.

Un certain dimanche de 1904, dix mille hommes se font tuer à Saint-Pétersbourg. La droite a peur. Jean n'est pas réélu vice-président. A « La Petite République », il ne peut pas faire ce qu'il veut. L'éditorial qu'il y publie chaque jour ne lui suffit pas. Il veut une tribune dont il serait le patron. Lucien Herr, Léon Blum, Lévy-Brühl le soutiennent. Au 104, rue de Richelieu, Jean crée « L'Humanité ». Le premier numéro sort le 18 avril 1904.

C'est alors la rupture du Concordat entre l'Eglise et l'Etat. Mais ce que Jean souhaitait se réalise en 1905 : le Congrès de l'Unité pour les Partis Socialistes. 1906 est une grande année. Triste, parce que Madeleine fait un mariage idiot, heureuse, parce qu'enfin, la Cour de Cassation annule un jugement : le capitaine Dreyfus et le commandant Picquart sont déclarés innocents, réhabilités et réintégrés dans l'armée avec un grade supérieur.

Jean se bat contre la peine de mort. La fameuse voix d'airain tonne dans un discours passionné : Cet homme ne croit pas à l'exemplarité de la peine, et il n'est pas le seul... Elle est pourtant maintenue par 330 voix contre 200.

Une larme coule sur la joue devenue blanche. Les amis regardent, impuissants à communiquer avec ce bateau qui tire sur son amarre. C'est son petit-fils infirme qui fait verser à Jean sa dernière larme. L'enfant est né en 1910. L'année où son grand-père a été réélu à Carmaux. Une grande idée le tient, une armée révolutionnaire, qui supprimerait le conflit entre l'active et les réservistes, et s'en tiendrait à être défensive. La guerre juste est celle qui défend le sol du pays, et seulement cela. Il en fait un livre : « L'arme nouvelle ».

Pour se remettre de bien des choses, Jean accepte un voyage en Amérique du Sud qui le ramène en France dans la tristesse : les socialistes allemands ne suivront pas le mot d'ordre de grève générale si la guerre est déclarée. Au Congrès de Bâle, cela est apparu

142

clairement, mais Jean ne veut pas le voir. Il espère trop des hommes pour être lucide.

Les événements se précipitent. La loi des trois ans passe, allongeant le service militaire. Jean est réélu à Carmaux en 1914, mais en juin l'attentat de Sarajevo fait lever les oreilles à toutes les meutes : par le jeu des alliances, la guerre est là, toute proche. A la fin juillet, l'Autriche déclare la guerre à la Serbie. Mais la médiation de l'Angleterre réussira ! Et Jean file à Bruxelles où il doit bien accepter ce qu'on lui affirme : les socialistes allemands soutiennent la guerre. Ça, il ne peut pas le croire. Il décide tous les fidèles du socialisme à un congrès qui se tiendra à Paris le 9 août. Le 3 août, il va à la Chambre. Il hésite sur le choix de l'endroit où aller dîner, puis se décide pour le Café du Croissant, rue Montmartre. Il s'assied, le dos à la rue. Deux coups de feu claquent. Les premières balles d'une guerre que Jean ne voulait pas.

Une étrange musique détache les amarres. Jean a cessé de respirer.

Le commandant W... bat l'air de ses bras, lâchant son pistolet d'ordonnance : il vient d'être fauché à la tête de ses hommes en donnant l'assaut. La balle qui a tué Jean Jaurès quelques jours plus tôt l'a touché en plein front. Et le grand corps étendu dans les chaumes de la moisson fraîchement coupée regarde vers le soleil levant avec, dans les yeux, un étonnement éternel.

On peut épiloguer à l'infini sur la mission historique des grands hommes politiques comme Jaurès. Mais d'où vient que ces êtres se sentent peu à peu investis d'une telle mission ? Sont-ils le résultat d'un état de choses, la cristallisation de faits sociaux qu'ils vivent et traduisent à leur manière ? C'est sûr. Mais il semble aussi que la présence d'une mère comme Mérotte ait favorisé une telle destinée. Car tous les éléments d'une vie sont intimement liés et souvent les contradictions apparentes forment une cohérence, toute équivoque soit-elle. Entre l'enfance et l'âge adulte, le lien existe, comme entre la vie inconsciente et la maturité raisonnée.

L'amour de Mérotte a vraisemblablement servi de catalyseur. Sans doute a-t-elle favorisé chez son fils le sens de la révolte. Mais encore fallait-il que l'enfant y fût réceptif. Rien ne se joue jamais tout seul. Une mère ne détermine pas son enfant complètement et tous les conditionnements qu'on pourrait infliger à un fils deviendraient caducs pour peu que celui-ci refuse de s'y prêter. Tout dépend du degré de symbiose et du type de relation existant entre sa mère et lui. Tout dépend de la manière dont il perçoit cette « première femme », dans sa subjectivité confuse. Subtile dialectique, échange souterrain entre deux sensibilités : la mère et l'enfant, liés par quelque accord ou par quelque conflit profond, se trouvent et communiquent autrement qu'en phrases, dans un « ailleurs » qui est un niveau informulable de l'être. De la qualité de ce langage de passion dépend certainement la tonalité qui marquera la psyché de l'enfant. Celle-ci se formera et s'infléchira selon sa vulnérabilité.

Le lien de Jean et d'Adélaïde Jaurès se définissait de quelques mots : entente inconditionnelle, fusion. Est-ce cela qui fabriqua un tel tribun ? Peut-être. Mais sur le plan affectif, il fut un être très inaccompli, balloté entre mère et épouse. Il lui en aura fallu du temps pour comprendre que l'équilibre de sa vie d'homme passait par la séparation d'avec sa mère... Du reste, on ne saura jamais ce qu'une telle décision lui aura coûté. Et sur le plan familial, par la suite. on ne peut pas dire qu'il ait été un être comblé.

Pourrait-on avancer que la relation mère-enfant

était nécessaire, mais non suffisante ? Pas même. Car ce n'est pas rationnellement que ces choses-là se formulent. Il semble simplement qu'il y ait eu là une sorte de continuum harmonieux entre l'affectivité de l'enfant et celle de l'homme, celui-ci magnifiant les qualités du tendre petit gros surdoué qu'il fut.

Cela s'est exprimé dans sa vie sociale, dans son activité politique mais non dans sa vie privée qui fut assez médiocre.

Qu'aurait été Jean sans Mérotte pour lui chauffer son lait au petit matin, pour l'attendre blottie au fond du cabriolet pendant les séances à la Chambre ? Jean Jaurès aussi, probablement — mais nul ne peut l'affirmer ni le contredire — l'homme pour qui fut tirée la première balle de la guerre de 14, celle qui fit quatre millions de Croix de bois.

8.

LOUISE

une mère inconditionnelle

> *Qu'elle m'ordonne d'enlever mes chaussures, qu'elle m'ordonne de courir sur les cailloux, sur les clous, sur les morceaux de verre, sur les épines. Je saurai le faire mais elle n'a pas besoin de mes pieds nus sur les cailloux, sur les morceaux de verre, sur les épines, sur les clous. Je le comprends. Je crie dans ma chambre parce que je le comprends.*
>
> Violette LEDUC.

NOTRE-DAME DES CAMARADES

Ce texte s'appuie sur les
écrits autobiographiques de
Louise Michel.

Les coups de vent apportent l'odeur lourde de l'océan, tout comme la senteur des bruyères de la presqu'île. La nuit est festonnée par les girandoles qui entourent la petite place. On devine les gens massés autour, blancs et noirs mêlés. Louise regarde, à la fois émue et lucide.

Ce soir, c'est un grand moment : l'institutrice dont elle est l'adjointe lui a demandé de veiller sur les enfants qui doivent chanter *La Marseillaise*, en ce 14 juillet 1890, à Nouméa. Aussi troublée qu'elle soit, Louise ne peut pas retenir un demi-sourire : vraiment, ce kiosque à musique ressemble à ses frères jumeaux de toutes les sous-préfectures de France et d'Algérie : octogonal, surélevé de huit marches de pierre, il pose un toit bombé sur de grêles colonnettes de fonte, reliées par des balustres. Serait-il le symbole de la mission civilisatrice de la France ?

Un coup de canon retentit, le même qui tirerait à la mitraille sur les bagnards en cas de rébellion.

Les voix presque justes des enfants s'élèvent dans la nuit tiède. Les pauvres ne savent pas ce que font leurs parents, ni qui est Mademoiselle Louise, la si gentille institutrice qui aide Mme Benand. Ils savent qu'il y a de méchants bagnards, là-bas, de chaque côté de Nouméa, ville construite au pivot d'une gigantesque pince dont chaque branche porte son contingent de réprouvés. Criminels, voleurs, « politiques » — ceux-ci encore plus maltraités que les autres — sont gardés par les « gentils » parents des petits chanteurs...

> « *Contre nous, de la tyrannie*
> *L'étendard sanglant est levé !* »

Louise n'y tient plus, les larmes inondent son visage comme torrent au dégel. Sous le front très haut les yeux sont noirs. Elle se retrouve à Audeloncourt, ce petit bourg où elle a autrefois ouvert une école libre, ne voulant pas prêter serment à l'empereur. Les enfants arrivant le matin et repartant le soir chantaient *La Marseillaise* en guise de prière.

Le tourbillon s'accélère. La voilà à deux doigts de se trouver mal. Elle qui a tout supporté, même la mousse rosâtre surnageant dans les mares de Satory auxquelles il fallait bien boire. Elle regarde les images qui défilent, seulement occupée à ne pas perdre connaissance.

Chaumont... L'école... le château, enfin, la maison forte, comme l'appellent les paysans.

Elle se revoit remontant chez elle sous les moqueries de ses camarades jalouses de son écrasante supériorité à l'école. « Va chez ton père », lui criaient-elles.

LOUISE

Les enfants savent toujours trouver ce qui fait le plus mal. Mais au château, Louise se souvient, tout le monde est bon pour elle. Sa mère, d'abord, la douce Anne-Marie, ravissante blonde aux yeux bleus, a du mérite de l'élever avec tendresse : Louise est l'enfant illégitime qu'elle a eue avec le châtelain. Ou avec son fils, qui sait ? Les Versaillais, prudents, ne sont pas allés fouiller dans le détail. Louise adore sa mère, elle admire sans cesse sa grâce et sa beauté. Anne-Marie avait été placée très jeune au château. La naissance de Louise l'a contrainte désormais à y rester. Malgré la bonté de sa mère, Louise se reproche très tôt et se reprochera toute sa vie d'être venue au monde. Elle est le boulet d'Anne-Marie. A cause d'elle, sa mère n'a plus d'avenir.

Ainsi grandit Louise Michel, fille hybride entre deux classes sociales. Les châtelains sont presque pauvres. Les tapisseries fanées des murs tombent en morceaux et les souris se trouvent ici à leur aise, en dépit de la présence des chats nombreux, mais pacifiques. Le château est un peu la « maison du bon dieu », même si les châtelains lisent plutôt Voltaire que les Evangiles. Aussi Louise est-elle élevée sans contraintes ni principes rigides. Elle ne reçoit pas d'éducation à proprement parler. Le soir, les veillées sont douces, la famille se serre autour de la cheminée. Parfois l'hiver les loups hurlent dans la cour, franchissant la clôture du côté des bois de Suzerin. Louise aime s'asseoir sur les sabots du « grand-père » près des chats qui ronronnent. L'enfant, très éveillée, s'imprègne au fil des jours d'un certain langage et d'une certaine culture. Elle surprend très vite par son inlassable curiosité. Ecrasée par la beauté de sa mère, Louise se croit laide. S'étant forgée très jeune cette conviction, elle canalise son énergie sur l'étude et la recherche intellectuelle : un jour, elle déclare à son

151

cousin Jules — son grand camarade de jeux, celui qu'elle entraîne dans toutes ses escapades, du puits aux bois, du grenier aux fascines — qu'à son avis une fille doit être aussi instruite qu'un garçon. Jules la traite d'anormale. Louise attrape le luth qu'elle a fabriqué avec une planchette et de vieilles cordes de violon, puis le casse sur la tête du garçon. Elle est laide, qu'importe, elle n'est pas venue au monde pour faire le potage d'un homme. Ni pour s'encombrer d'enfants qui seraient autant de freins à sa liberté. Lorsqu'elle boude, Louise monte au grenier du château. Là, elle s'est installé un cabinet particulier meublé de pierres, d'ossements d'animaux ramassés dans les bois et d'une vieille lunette d'approche. Elle y rêve à sa guise, en compagnie d'une chouette apprivoisée et d'une chauve-souris auxquelles elle monte chaque jour un bol de lait.

Louise petite fille est un cheval échappé : ceux qu'elle considère comme ses grands-parents lui laissent la bride sur le cou. Et ce qu'elle n'obtient pas, elle le prend. L'envoie-t-on coucher qu'elle redescend et écoute, cachée derrière les tentures. Personne n'est dupe. Alors ? Largeur d'esprit à la Rousseau ou fierté familiale devant cette étonnante enfant ? Les deux sans doute.

De l'instituteur, un Monsieur Michel [1], Louise tient son amour pour l'algèbre. Tout ce qu'il enseigne semble aller de soi et même le grand-père en le rencontrant a été stupéfait. Pourtant, la sale gamine lui a joué un tour pendable au tout début de sa scolarité : très avancée par rapport à ses compagnes étant donné le niveau de langage et de lecture de sa famille, elle se joue des dictées. Un matin, elle gratte le papier, et

---

1. Ce patronyme n'a rien à voir avec celui de Louise, cette homonymie est une coïncidence.

voilà ce que ça donne : « Les Romains étaient les maîtres du monde — Louise ne tenez pas votre plume
comme un bâton ! — point virgule — mais la Gaule
résista longtemps — les enfants du Haut Quétot vous
arrivez bien tard — un point. Ferdinand mouchez-
vous ! » Et ainsi de suite. Lisant sa copie, le maître
lui dit froidement : « Si l'inspecteur voyait ça, vous
me feriez casser. » Louise est écrasée de chagrin, tout
comme le jour où ayant donné tout plein son tablier
d'avoine à la jument du docteur Lhomond, ce dernier
faillit se rompre les os sur une bête dansant la polka
dans les fondrières...

De toute façon, les habitants de la maison forte
vivent retirés. Seuls quelques vieux amis y sont reçus
régulièrement. M. Lhomond, « le petit »,i nstituteur
à Ozière, passe l'hiver au château. Et M. Lhomond, « le
grand », le médecin, vient sur sa jument faire de la
musique tous les mardis soirs. Louise a des mains en
or, tant pour le piano que pour le dessin, et très vite
elle devient capable de remplacer sa grand-mère lorsqu'il s'agit d'accompagner ces messieurs.

Mais certains soirs d'été Louise descend avec son
amie Nanette à la veillée, dans les maisons paysannes.
Elle y découvre le pauvre monde. Car ce que l'on
raconte là n'est pas seulement l'histoire des trois
Dames de La Fontaine : celle qui pleure le passé, la
seconde les jours actuels, la troisième l'avenir... On y
parle aussi de la misère, des enfants qui meurent de
faim, comme si cela allait de soi ! Louise ne comprend
pas sa mère qui, lorsqu'on lui parle de révolte, répond :
« Ne dis pas ça, petite, ça fait pleurer le bon Dieu ! »
Louise trouve que la vie fait beaucoup pleurer les
hommes, et que si quelqu'un est à l'origine de cette
amère plaisanterie il n'a pas à en être fier ! Elle vole
au château tout ce qu'elle peut, force les serrures des

celliers et des granges, distribue ce qu'elle trouve aux plus démunis : lorsqu'ils le croisent, ils en remercient le grand-père. Perplexe mais amusé, celui-ci propose à Louise un forfait hebdomadaire pour qu'elle ne vole plus. Mais elle lui répond dignement que ses pauvres y perdraient trop...

Certes les châtelains ont les idées avancées. Mais ce n'est pas le cas de Mémé Marguerite, la mère d'Anne-Marie. Celle-ci est pieuse et digne. Nette comme un sou neuf à chaque heure du jour. Ses six enfants — dont trois fils, les oncles de Lagny, sont comme elle. De la bonne souche paysanne. Une autre de ses filles vit avec tout ce monde : Victoire, un peu « chose » depuis que sa mauvaise santé l'a obligée à quitter le noviciat. Elle allaite Louise d'un mysticisme dont l'absolu s'empare de la fillette. Pourtant, ce ne sera pas le Christ que Louise servira aveuglément mais l'humanité, les faibles, la Révolution. Son choix est fait.

Dans un milieu libéral, propice à l'étude, Louise découvre le monde avec ses injustices. Très jeune et quoique privilégiée, elle est déjà une révoltée qui ne supporte ni la pauvreté des autres ni leur écrasement social. De son inlassable désir de se faire pardonner sa venue au monde, étayée par le mysticisme un peu primaire de la mémé et la vocation déçue de la tante, Louise conçoit un vif penchant à l'altruisme combattant. Elle consacrera sa vie aux autres, mais pas dans un couvent, car ses années d'apprentissage lui ont ouvert les yeux sur toutes les nouvelles idées de progrès. Anne-Marie est dépassée par la personnalité de sa fille. Elle n'est pas en mesure de freiner ce tourbillon passionné, déterminé à aller de l'avant pour faire triompher son idéal. Anne-Marie la douce, se contente d'aimer en silence.

Ainsi, une sorte de vocation laïque s'est formée en

LOUISE

Louise dès la prime adolescence. Le mariage ? Pas question. Malgré ce qu'elle croit être de la laideur — comment pourrait-elle être belle avec une mère comme Anne-Marie — on la demande. Dame, il y a des terres, songe Louise. Elle règle proprement leur compte à deux soupirants. Au premier en lui jouant les débiles, en récitant presque mot à mot la tirade d'Agnès dans l'Ecole des Femmes ; au second en lui promettant de le faire aussi cocu que le grand cerf dont les bois ornent le vestibule.

Voici qu'apparaît l'image du Cours Normal de Chaumont. En sortant elle réussit l'examen qui lui permet d'être institutrice. Heureusement. Les châtelains sont morts, et les héritiers légitimes viennent de la mettre à la porte sans aucun ménagement. Juste au moment où fleurissaient les rosiers qu'elle avait plantés pour que sa mère et sa grand-mère Marguerite puissent jouir du parfum des soirs d'été.

« Les lauriers sont coupés, Grand-Mère, nous n'irons plus au bois... »

Que peut faire une jeune fille en 1851 ? Se marier. Nous avons vu que pour Louise c'est une solution exclue. Faire le trottoir encore moins. Reste l'enseignement. Louise ouvre son école en 1853 à Audeloncourt : « école privée » puisqu'elle ne veut pas prêter serment à Napoléon III. Souvent les larmes coulent pendant *La Marseillaise*... Personne ne s'en étonne : il y a seulement cinq ou six ans que les ouvriers de Paris ont perdu le bénéfice de leurs morts. 1848. L'argent éponge les flaques de sang, pire : il s'en engraisse.

Rester là, en Lorraine, alors que ses chers aïeuls sont sous la pierre, et tandis que les Républicains commencent à relever la tête ? Sa place est à Paris. La voilà rue du Château-d'Eau en 1856, comme sous-maîtresse chez Mme Vollier, une excellente femme qui survit difficilement, un peu aidée par ses fils,

155

de même que Louise le sera par sa mère. Une amie, Julie, rejoint l'équipe, et voilà Mlles Vollier et leur « maman » (on prend Louise et Julie pour deux sœurs) qui travaillent d'arrache-pied. Louise a une chance : elle peut aussi donner des cours de piano et de dessin. Des leçons supplémentaires. Ça complète quand même le budget mis à sac par les achats de livres et de musique. Plusieurs soirs par semaine, elle va au cours du soir de la rue Hautefeuille, véritable université populaire. On y enseigne une bigarrure de matières — de la physique, de la chimie, du droit, « de l'histoire qui sent la poudre ! » Quand Louise n'y donne pas de cours, elle suit ceux de ses amis, coude à coude avec celles de ses plus grandes élèves.

Louise s'enthousiasme pour les nouvelles venues de Russie : là-bas les meilleurs meurent au bout d'une corde. Les nuits sont courtes. à discuter en se raccompagnant mutuellement quatre ou cinq fois de suite ! Louise n'a pas changé : elle joue toujours des tours aux affreux. Autrefois elle leur jetait des crapauds dans les jambes — pauvres bêtes ! — maintenant elle profite de sa grande taille et de son feutre pour claquer des talons sur la trace de pâles petits bonshommes cavalant comme des perdus pour sauver leur montre en or !

Les Républicains s'organisent en clubs. Celui des hommes est rue de Clignancourt. Celui des femmes est rue de la Chapelle. Une ligue du droit des femmes se réunit à Paris, à l'Ecole Professionnelle de la rue Thévenot : Mmes Jules Simon, André Lé, Maria Deraisme y militent. Louise va d'une réunion à l'autre : le sexe, elle s'en moque. Ne sont-ils pas égaux devant les malheurs ? Elle noue des liens de tendresse avec Marie Ferré et son frère. La mort aura seule le pouvoir de les séparer.

156

LOUISE

C'est la guerre de 1870. Napoléon III, tourmenté par la gravelle, défile sur le front des troupes, fardé pour que les soldats ne remarquent pas sa pâleur.

Sedan. Le siège de Paris : l'éléphant du jardin des Plantes n'aura pas duré longtemps. Le prix du rat monte. Lisez Victor Hugo : il raconte très bien. Mais lui avait les quinze francs pour offrir un œuf à la petite Jeanne. Les gens ont faim : le pain est à la colle, voire au plâtre. Mais les Parisiens ne veulent pas se rendre aux Prussiens. La Commune est nommée le 31 octobre. Pensez-vous ! Elle sera escamotée. Le tout petit Monsieur Thiers laisse aller s'amuser la Garde Nationale, qui fait une sortie désespérée le 19 janvier, et se fait massacrer. Les dates martèlent les tempes de Louise : eux ont su mourir. Elle, elle n'a que sa mémoire pour leur rendre hommage. Le 22 janvier, les gens se pressent place de l'Hôtel-de-Ville. Des familles entières sont là. Les Parisiens refusent la reddition. C'est viscéral. Tout d'un coup, une curieuse petite musique, comme des guêpes... un régiment de Bretons les canarde de l'intérieur du bâtiment : paradoxalement Louise plaint les soldats d'être ainsi abusés par le sentiment du devoir. Bien sûr, on affirme au peuple ce soir-là qu'il n'est pas question de capitulation. Bien sûr, cette dernière est signée le 28 janvier. Bien sûr, les canons entreposés parc Wagram s'en vont tomber aux mains des Prussiens.

Leurs canons ! Chaque quartier a les siens. Ça non, les abandonner aux pattes des occupants, ce n'est pas possible.

Les maisons se vident, les gens descendent dans la rue. Les hommes s'attellent aux batteries. Voilà ceux de Montmartre qui grimpent la colline. C'est leur grand Saint-Bernard à eux ! La colère monte. Clémenceau, le maire, se retrouve bouclé dans la mairie. Il n'a pas intérêt à en sortir : il serait balayé par le flot.

LA MERE ABUSIVE

Le cimetière se fortifie. Les généraux Clément et Lecompte se retrouvent collés au mur : le peuple n'a pas oublié 1848. Monseigneur Affre, du coup, y laisse aussi la vie. La salve coupe les ponts. Les pauvres vont commencer à mourir : s'ils avaient pris l'or de la Banque de France, ils étaient sauvés. Mais l'or reste dans les caves, et la guerre civile commence. Elle fera plus de soixante mille morts en un an.

Les Versaillais entrent dans Paris en force le 21 mai. Les Communards sont chassés aux flambeaux dans les Catacombes, comme des bêtes. Rue Blanche, les barricades sont défendues par des femmes. Louise y va faire le coup de feu. Elle apprend que Montmartre est investi par la troupe : sa mère y est. Au plus fort du danger, Louise ne peut pas lâcher Anne-Marie. Elle n'hésite pas un instant, s'habille en femme et monte sur la butte. Elle apprend que sa maman est prise. Foncer au bastion 37, se livrer, obtenir que sa mère soit libérée sur-le-champ, c'est fait : la pauvre femme sanglote de ce qu'elle a déjà vu : des hommes abattus devant elle, erreur ou non c'est pareil. Comment faire qu'elle parte ? Louise ne veut pas être fusillée devant sa mère. Une idée lui vient : elle l'attire à part, et lui demande d'aller voir un homme important qui certainement pourra la protéger.. La mère part, ses vieilles jambes à son cou.

Le mur des Fédérés absorbe son contingent de victimes. Ceux qui n'ont pas été abattus sur place sont poussés par les gendarmes vers la plaine de Satory. Le chemin de croix des Communards commence. La marche sous les quolibets de la foule qui sort des pavés et se croit au spectacle. Le soleil couchant saigne derrière les chevaux des gardiens. La nuit est claire, c'est déjà une nuit d'été : Louise avance comme elle peut entre une religieuse (surprise à donner à boire aux mourants) et une pauvre femme qui a vu son mari fusillé sous ses yeux !

Satory, lieu de honte et de misère, qui voit toutes les nuits des hommes réveillés à la lueur des lanternes sourdes : la pelle et la pioche sur les épaules, ils décollent avec peine leurs souliers de la boue et se perdent à l'horizon. Après avoir creusé leur tombe, ils sont abattus. Satory, où l'eau des mares est rose de ce que les bourreaux qui s'y lavent les mains y laissent.

Au bout d'une semaine interminable, s'attendant à chaque instant à être fusillée, Louise est conduite à Versailles, à la prison des chantiers. Deux étages, aussi infects l'un que l'autre : le plus profond est la prison des femmes qui recevront des bottes de paille au bout de deux semaines. Celui du dessus est celui où sont parqués les enfants des Communards, histoire d'appâter leurs pères. Un geôlier les frappe de manière abominable.

Le dimanche, on s'en vient de Versailles visiter les prisonnières. Comme d'autres vont à la ménagerie des cirques. Un après-midi, une jeune femme demande à voir Louise : celle-ci s'avance, avec son bon sourire. De la voir si différente de ce qu'on en dit, des calomnies idiotes qui circulent, la Versaillaise en a les larmes aux yeux : elle propose son crédit, de l'argent : Louise lui demande seulement son journal.

Elle y apprend la mort de Mme Ferré. La maman de Marie et de Théo, menacée de voir sa fille malade emmenée par les soldats, s'est coupée et sans le vouloir a livré son fils. Marie est libre, la mère s'engouffre dans la folie, et vient de mourir au Cabanon, à Sainte Anne.

Théo pris ! Le meilleur ami, celui que Louise n'a pas voulu laisser devenir plus, même si le cœur y était ! Marie doit avoir le cœur crevé : d'abord la mère, ensuite le frère ! Théo ne peut pas en réchapper, même s'il est passé entre les balles de ce mois de juin.

Louise est transférée à la correctionnelle de Versailles : enfin elle revoit sa mère ! Un geôlier caché derrière la cloison les écoute, et sape tout ce que Louise dit d'encouragements à Anne-Marie.

Dans son désespoir, celle-ci comprend-elle en cet instant tout ce qu'il a fallu d'amour à Louise pour trouver les mots de réconfort qu'elle vient de prononcer, saisit-elle que le but le plus cher de Louise est de la protéger, de lui éviter le moindre souci, de l'éloigner de la souffrance ? Nul ne le saura. Les deux femmes ne parleront jamais de leur blessure la plus profonde qui est en fait leur amour réciproque. Louise, « coupable » du seul fait d'être là ; prête à tout pour se faire pardonner son existence, jusqu'au péril de sa vie. Consciente de la fragilité de sa mère elle se sent d'autant plus coupable que celle-ci se montre tendre. Anne-Marie, quant à elle, aime Louise aveuglément, avec son âme simple et sa gentillesse innée. Bien que désarmée, elle voudrait trouver la force et les moyens de soulager cette étonnante fille qui lui ressemble si peu et qui pourtant a su devenir le centre de toute sa vie plus que ne l'aurait fait n'importe quel époux, ou n'importe quelle marmaille. Dans sa modestie, elle est incapable de concevoir que c'est elle, Anne-Marie, l'être le plus aimé de Louise. Que c'est au fond pour elle, pour lui prouver sa gratitude, que Louise est devenue la passionaria de la Révolution. Anne-Marie en demandait-elle tant à sa fille ? Non, bien sûr. Mais la façon dont se transforme la passion dans l'âme d'un enfant, les chemins que prend l'inconscient pour traduire la violence et le désarroi de la petite fille dans l'être devenue adulte, sont impénétrables. Ainsi, la figure d'Anne-Marie, à son insu, a dominé et dirigé l'existence de Louise : la révolutionnaire n'aura vécue qu'un seul amour. Magnifié, amplifié, sublimé.

Quinze jours d'entr'acte à la prison d'Arras, sans savoir pourquoi : le 28 novembre, elle croise une ombre brune vêtue de noir : c'est Marie qui vient réclamer le corps de Théo, fusillé le jour même au point du jour. Elle lit à Louise la lettre qu'il a écrite en partant à l'exécution :

« Mardi 28 novembre 1871, cinq heures du matin.
Ma bien chère sœur,
Dans quelques instants je vais mourir. Au dernier moment ton souvenir me sera présent... Je te prie de demander mon corps et de le réunir à celui de notre malheureuse mère, sur la tombe de laquelle il faut porter une couronne d'immortelles.
Tâche de guérir mon frère et de consoler notre père. Dis-leur bien à tous deux combien je les aimais.
Je t'embrasse mille fois, et te remercie des bons soins que tu n'as cessé de me prodiguer.
Surmonte ta douleur, comme tu me l'as promis. Sois à la hauteur des événements.
Quant à moi, je suis heureux, je vais en finir avec mes souffrances. Tous mes vêtements et autres objets doivent être rendus sauf l'argent du Greffe que j'abandonne aux détenus malheureux.

Th. Ferré. »

Les deux gendarmes qui ont permis aux deux jeunes femmes de pleurer ensemble seront destitués.

Jusqu'au 16 décembre où elle passe en jugement, Louise voit sa mère à plusieurs reprises : c'est de plus en plus abominable. Le tribunal lui donne la parole : « Ce que je réclame de vous, qui vous affirmez Conseil de Guerre, qui vous donnez comme mes juges, qui ne vous cachez pas comme la commission des grâces, de vous qui êtes des militaires et qui jugez à la face de tous, c'est le champ de Satory où sont déjà tombés mes frères. Il faut me retrancher de la société. On vous dit de le faire. Monsieur le Commissaire de la République a raison. Puisqu'il semble que tout cœur qui bat pour la liberté n'a droit qu'à un peu de plomb, j'en réclame une part, moi ! Si vous me laissez vivre, je ne cesserai de crier vengeance et je dénoncerai à la vengeance de mes frères les assassins de la commission des grâces : j'ai fini. Si vous n'êtes pas des lâches, tuez-moi. »

Louise est condamnée à la déportation dans une enceinte fortifiée. En attendant, la voilà transférée à la Centrale d'Auberive où le froid a gelé les doigts d'une prisonnière. Dans la neige, les femmes tournent pendant leur promenade, le fichu blanc bien tiré sur le dos. Le silence est de rigueur.

Un jour, la mère de Louise arrive : Louise sera déportée en Nouvelle-Calédonie. Devant les cheveux blancs de la vieille femme, le gardien-chef, pris de pitié — tous n'étaient pas des brutes — les laisse s'embrasser avant le grand départ. En juillet, le matricule 2 282 quitte Auberive. Une vieille carriole pleine de paille attend les femmes à l'extérieur de l'enceinte. Surprise : au lieu de huer les prisonnières, les paysans se découvrent. Mieux, à Langres, où attend la voiture cellulaire qui les conduira à Paris, enca-gées comme des bêtes, des ouvriers sortant de l'atelier les saluent. Un « Vive la Commune ! » retentissant fait tourner les chevaux de deux gendarmes. Peine perdue : l'auteur du cri séditieux, un grand bonhomme à la tête de Victor Hugo, s'est comme dilué dans le paysage.

La voiture les cahote à travers Paris, et passe dans le quartier où Anne-Marie attend sa fille : pour cela, Louise est tranquille, et c'est beaucoup. Le train les conduit à Rochefort. Puis c'est La Rochelle, et la « Virginie ». C'est un bateau mixte, à la fois transport pour les bagages, à la fois porteur de passagers qui vont là-bas pour leur poste ou leurs affaires. C'est un cachot flottant où la discipline est terrible : un canon tient toutes les cases grillagées sous sa bouche à feu. Louise partage son territoire avec une maman déportée avec ses deux enfants, dont une née en prison. Henri de Rochefort est en face, et c'est bien dommage que la règle du silence l'empêche de parler ! Les femmes pleurent sur les albatros qui agonisent des heures, pendus par les pattes aux haubans. Pourquoi ? Pas un marin ne peut le dire. C'est la coutume, c'est tout.

La nourriture est aussi infecte pour les prisonniers que pour l'équipage : cinq mois et demi de mer, c'est tout dire. Le scorbut est à bord. Malgré cela, le capitaine fait écran aux secours de tous ordres que les Australiens veulent faire passer. Ils sont bien gardés, les Communards.

Louise rêve en suivant des yeux la crête des vagues. Là aussi, elle rêve, sur la place de Nouméa : elle pense au maire, M. Simon, qui l'a si bien protégée de cette ordure de sous-gouverneur, cet ancien d'Auberive monté en grade. Les flux et les reflux de sa mémoire la posent sur la plage du débarquement de la presqu'île Ocos. Ses yeux embrassent le relief volcanique entrecoupé de mille sortes d'arbres et d'arbustes que des lianes aux fleurs parsemées unissent en un fouillis difficilement pénétrable. Sous le soleil levant, les bâtiments du bagne disparaissent devant la splendeur de la nature. Louise (qui dessine et peint) mange le tableau des yeux. Les camarades qui l'ont précédée sont là, les bras ouverts.

Chaque jour Louise est invitée, fêtée. Puis elle obtient son gîte à elle. Balancée dans son hamac, elle réfléchit. Examine la flore, la faune. Un fait la retient :

les vols de sauterelles qui transforment la lumière aiguë en grisaille bretonne derrière laquelle on devine à peine le disque du soleil. La végétation est désertique, mais les ricins restent vivaces : il faudrait en planter davantage. Qui sait si les vers à soie ne s'y accoutumeraient pas ? Les ricins sont malades ? Louise en prend quatre pieds et les vaccine, à l'image des hommes. Le gouverneur l'encourage. Les gardiens sont soufflés. Elle a continué à démantibuler une case inoccupée pour en faire une serre, elle a détérioré le matériel de l'Etat. Et on la laisse faire !

Punie, elle l'est un jour, cruellement : on emmène ses compagnons, deux chiens et quatre chats. Folle de rage, elle fonce à la Résidence. Le gouverneur lui dit que ses bêtes ont été abattues. On la coffre.

Louise ne pensait plus avoir de larmes. Elle pleure comme une fontaine, jusqu'au moment où elle entend un jappement. Ce n'est pas possible. Elle perd la tête. Un autre, deux autres... Elle saisit le couteau qui ne la quitte pas, et s'escrime sur la cloison de bois. Bientôt ses deux chiens la rejoignent, puis les quatre chats. Le lendemain matin, le gouverneur qui vient la voir en se demandant quoi faire d'elle, la trouve installée triomphalement avec ses bêtes sur les genoux. Brave homme, au fond, il la congédie. Il faut dire que Louise en fait de bonnes : ne s'est-elle pas mise à instruire les Canaques ?

Au camp, on lui fait une ovation. Pas une injustice que Louise ne dénonce à coup d'affiches. Elle ne fait grâce de rien à leurs tourmenteurs : les détenus subissent, mais protestent.

Il y a de bons moments. Le théâtre hebdomadaire, par exemple. Louise prête à l'héroïne du drame (qui porte moustaches) la robe noire avec laquelle elle a comparu devant ses juges. Les godillots dépassent un peu, mais le décor naturel, quelle merveille ! Les gardiens, faisant des rondes à coup d'appels de nuit, y participent sans le vouloir. Les moustiques sont bien ennuyeux, mais ses amis canaques lui ont donné un truc : l'huile de coco rance.

Les Canaques : une blessure encore fraîche. Ce sont des hommes braves qui respectent la loi du clan et l'attachement au chef. Ils sont de plus en plus malheureux. Les colons blancs les refoulent de plus en plus loin des terres cultivables et les traitent comme des sous-hommes. Or ce sont des guerriers. Mais ce qui frappe Louise, c'est que les femmes des Noirs sont soumises à l'homme encore plus que le Noir n'est contraint de se soumettre au Blanc. Dès qu'une ombre paraît à l'horizon, le guerrier remet sur les reins de la « nemo » le pikininé, les ballots, et surtout la charge dont il l'avait débarrassée par pitié. « Jamais je n'ai compris qu'il y ait un sexe pour lequel on cherche à atrophier l'intelligence comme s'il y en avait trop dans la race. Oui, si l'égalité entre les deux sexes était reconnue, ce serait une fameuse brèche dans la bêtise humaine. Si le diable existait, il saurait que si l'homme règne menant grand tapage, c'est la femme qui gouverne à petit bruit : mais tout ce qui se fait dans l'ombre ne vaut rien. Ce pouvoir mystérieux, une fois transformé en égalité, les petites vanités mesquines et les grandes tromperies disparaîtront. Alors il n'y aura plus ni la brutalité du maître, ni la perfidie de l'esclave. »

En attendant, là où la chèvre est attachée, il faut bien qu'elle broute. Louise aide les Canaques, leur apprend ce qu'elle peut leur faire passer : leur intelligence est réelle, mais ne peut passer à l'abstraction qu'à partir du concret : elle leur fait découper des lettres et des chiffres dans des planchettes. Ils assemblent des mots, et très vite se mettent à parler. Sauf de ce qui se trame : ils ne veulent pas que leur « sœur » de cœur soit compromise. La seule qui les ait traités en hommes. Mais la nuit des pirogues effilées glissent le long de la côte. Des formes imprécises vont à de curieux rendez-vous dans la brousse. Les gardiens, plus ou moins abrutis d'alcool, n'y voient rien. Jusqu'au jour où un poste est attaqué. Ceux qui le tiennent cruellement massacrés. Les soldats ne peuvent pas grand-chose dans cette guerre verte où les flèches tombent des arbres et partent d'un peu partout... Beaucoup de monde y laisse la vie, une flèche dans le ventre. L'idée arrive : mettre le feu à la brousse. C'est fait, un soir où le sens du vent ne fait pas courir de risques aux Blancs. Que dire de l'horreur de cette nuit, les Noirs dansant de douleur, brûlés vifs, courant avant de s'abattre pour le compte. Louise se colle les poings aux oreilles pour ne pas entendre. Pire, les Communards, pour une fois, sont du côté des gardiens. Les Noirs, non. Ce n'est pas de la graine d'homme complet. Elle est seule, tout à fait seule, pour la première fois.

Au petit jour des grattements se font entendre contre le mur de sa case : elle ouvre. Ce sont deux Noirs couverts de brûlures. Avant de prendre la dernière pirogue et de se confier à l'océan, ils ont voulu saluer Louise. En pleurant, cette dernière leur partage son écharpe, celle qu'elle portait pendant la Commune. Puis ils partent. Jamais elle ne sut s'ils étaient arrivés autre part que dans la mort.

La civilisation peut dormir tranquille. Il n'y a pratiquement plus de Canaques. Honteuse d'appartenir à la horde des assassins, Louise, un soir de grand typhon, essaie de convaincre Pérusset, ancien capitaine au long cours, de fabriquer un radeau avec des tonneaux, des bouts de bois, n'importe ! Tout pour oublier et pour fuir le souvenir de ces corps carbonisés. Pérusset refuse : la mer, il connaît. Louise en est pour ses frais, et repart, seule, accrochée aux roches illuminées par les éclairs.

Une solution : accepter d'être institutrice suppléante à Nouméa. Ici elle n'a plus rien à faire. Le dimanche quelques Canaques rescapés se glissent jusqu'à l'école : comme par hasard le maire arrive et note du regard ce qui manque à Louise : des planchettes, des crayons... comme par enchantement le lendemain tout arrive. Quel digne homme, ce Monsieur Simon.

« *Nous entrerons dans la carrière
Quand nos aînés n'y seront plus* »

Louise se réveille : la place d'Armes est toujours là. Le kiosque aussi, et elle avec.

Quelques jours passent. Les lettres de sa mère parlaient d'amnistie. Mais Louise ne croit plus à rien. Pourtant, l'amnistie est votée. Ce qui reste des déportés exulte. Louise est inquiète. Elle bouscule tout, attrape le courrier régulier à partir pour l'Australie. Londres. Dieppe. Marie Ferré est venue l'attendre. Paris, enfin ! Sa mère vient d'avoir une attaque : il était temps de rentrer.

Dans le petit logement du boulevard Ornano, Louise, Marie et la vieille maman (hémiplégique, mais réussissant à se traîner sur ses cannes) ne bougent pas d'au moins huit jours. D'ailleurs son oncle Michel est venu de Lagny lui faire de la morale. Enfin, à quoi cela ressemble, de jouer les Jeanne Hachette ! A son âge ! Elle a cinquante et un ans, quand même. C'est l'âge de raison. Louise prend un air angélique. Mais le bout de son nez remue. Elle va tout juste à l'Elysée-Montmartre, oui, une réunion pour secourir les déportés qui rentrent...

Bien sûr, Louise enfourche son cheval de bataille. Trop de sang a été versé pour qu'elle trahisse son

idéal. Le drame, c'est qu'au milieu de la salle, il y a
une petite vieille infirme qui sanglote sous ses cheveux blancs : Anne-Marie. Sa mère ne comprend pas
que la course héroïque n'a plus de fin. Si sa mère a
été l'élément déclenchant de son action politique, elle
ne peut à l'inverse la faire revenir en arrière. Louise
est trop éprise d'absolu. Elle ira jusqu'au bout. Pas
une manifestation où on ne la voie ! L'anarchie est dans
l'air. Une des manifestations tourne mal, celle de
l'anniversaire de la mort de Blanqui. Louise est arrêtée
et condamnée à quinze jours de prison. La douce amie
Marie a pris encore un coup. Un de trop pour son
cœur malade. Un mois après, en février, Marie s'endort
chez une amie où elle avait été se cacher pour mourir.
Les yeux secs, Louise la couche dans le grand châle
rouge que son amie aimait.

Pendant des mois, Anne-Marie et Louise sanglotent,
obsédées par le souvenir de la morte. Tant de souffrances, et si peu de joies avaient été partagées. Théo
le courageux, et tant d'autres dont les ombres semblent présentes autour de la lampe à pétrole... Louise
se secoue. Ils sont partis, eux qui ont préparé le
terreau de la Révolution. A elle de continuer. Elle se
fait le colporteur de la liberté. A Bruxelles, à Gand,
à Londres, on la voit partout. Elle rit de ces gens qui.
le nez pincé. la croient anormale : une femme, se
conduire ainsi !

Elle a l'infâmie de dire « que le sexe fort est tout
aussi esclave que le sexe faible, qu'il ne peut donner
ce qu'il n'a pas lui-même et que toutes les inégalités
tomberont du même coup, quand hommes et femmes
livreront la lutte décisive. »

Aux quatre coins de Paris, les Républicains se grou-
pent. Le gouvernement multiplie les manœuvres de
provocation pour que les derniers révolutionnaires
se dévoilent. Ainsi, une manifestation aux Invalides
est utilisée pour perdre Louise d'une manière ridi-

cule. Elle est condamnée à six ans de Centrale. Six ans ! A la prison Saint-Lazare, Louise s'occupe de ses compagnes. Les plus nombreuses sont des prostituées. Bien des fois presque des gamines. Son sang ne fait qu'un tour, mais c'est cela, le monde bourgeois, et ce ne sont pas les « clients » qui font de la prison ! On ne naît ni maquereau ni honnête homme : on le devient, selon que les bonnes ou les mauvaises fées se penchent sur le berceau.

La maman a le cœur gros, mais voit sa fille fidèlement toutes les semaines. Cela ne suffisait pas ? Louise est transférée à Clermont, à la maison d'arrêt. Le jour de juillet 1884 où sa mère apprend le transfert, elle se couche pour ne plus se relever.

Au mois de novembre, elle fait une deuxième attaque. Le 22, la lettre que reçoit Louise est toute tremblée. Inquiète (d'autant que le choléra est à Paris), elle demande à regagner Saint-Lazare, offrant même de repartir en Nouvelle-Calédonie enseigner après la mort de sa mère. Silence. Elle crève d'inquiétude.

Un matin, on la ramène à Saint-Lazare : mieux, on la conduit dans leur petit logement du boulevard Ornano où sa mère agonise : deux agents assurent la garde. De bien braves gens qui font les infirmiers pour la vieille femme. Cette dernière meurt le 3 janvier. Louise l'ensevelit dans une couverture couleur de sang. Maintenant elle a le cœur gelé comme une pierre. Seule compte son action révolutionnaire. Ramenée à Clermont, elle refuse l'amnistie. Veut-on lui payer le cadavre de sa mère !

Mais la grâce arrive le 5 janvier 1886. Faudra-t-il l'expulser de la prison ? Le malheureux directeur ne sait plus à quel saint se vouer. Le lendemain, Louise sort d'elle-même, évitant le scandale, surtout peut-être pour cet homme qui a été aussi bon pour elle que le permettaient les circonstances. La voilà libre, avec comme un vertige devant la plaine piquetée d'arbres et de maisons. Les gens détournent la tête quand elle leur demande le chemin de la gare. Un ouvrier passe. Heureusement, celui-là, il la connaît. Il lui apprend tout ce qui s'est passé à Paris en son absence, et où en sont les mouvements révolutionnaires.

Maintenant que sa mère est morte et dort auprès de Marie, Louise n'a plus rien à perdre. Elle recommence ses tournées, pauvre comme Job. Elle ira jusqu'en Algérie. En 1904, elle n'y va pas par quatre chemins : elle dit aux recrues de mettre la crosse en l'air.

C'est à Marseille, un jour de janvier 1905, presque neuf ans, jour pour jour, après la mort d'Anne-Marie, cette mère qui l'avait adorée sans la comprendre, que la combattante pose enfin les armes. Contente et satisfaite ? Non, il y a encore trop à faire. Mais apaisée, enfin.

« Je hais le moule maudit dans lequel nous jettent les erreurs et les préjugés séculaires, mais je crois peu à la responsabilité. Ce n'est pas la faute de la race humaine si on la pétrit éternellement d'après un type si misérable et si, comme la bête, nous nous consumons dans la lutte pour l'existence. »

9.

EMMA ET CHARLES

une mère possessive

L'enfant aura la vie meilleure que ses parents, il ne sera pas soumis aux nécessités dont on aura fait l'expérience qu'elles dominaient la vie. Maladies, mort, renonciation de jouissance, restrictions à sa propre volonté ne vaudront pas pour l'enfant, les lois de la nature, comme celles de la société s'arrêteront devant lui, il sera réellement, à nouveau, le centre et le cœur de la création.

Sigmund FREUD.

LA REVELATION AMOUREUSE QUI DETRUIT

Ce texte tente d'expliquer le drame des
Bovary en l'éclairant du rôle de la mère
de Charles, dans le roman de G. Flaubert,
« Emma Bovary ».

La jument a posé les pieds de devant sur le talus ;
grignotant un brin d'herbe échappé à l'hiver, elle
secoue la tête et ses sonnailles réveillent le petit jour :
les oiseaux ne chantent pas encore, l'horizon blanchit
à peine. Debout à côté de la bête, les rênes passées
dans le bras droit, Charles réfléchit, ou tout au moins
essaie. Il faut dire que le Calvados qu'il a bu était
raide. Alors il s'en retourne au petit jour, une éponge
dans la tête en guise de cervelle.

Charles est grand, rond, un peu lourd. Il est gentil
aussi, et même futé : il le faut pour exercer la médecine en Normandie après le Premier Empire. Les paysans sont désargentés à la Saint-Michel, date à laquelle
l'on paie son médecin. Mais surtout, il a cette qualité :
il ne tue pas, il laisse agir la nature qui, la plupart du
temps, remplit assez bien son office. Il a acquis une

bonne réputation dans la guérison des bronchites — les catharres, comme on les nomme ici. Ce matin Charles se sent content de lui.

Tout à coup, comme pour le rappeler à l'humilité, lui revient aux oreilles le hurlement d'Hyppolite, amputé d'une jambe il y a trois ans de cela par son maître de Rouen. Trois semaines auparavant, Charles avait opéré le pied bot du garçon d'écurie. Depuis, Emma le regarde avec du mépris dans les yeux. Oui, depuis trois ans. C'est certainement à cause d'Hyppolite. Pour quelle autre raison sa femme le mépriserait-elle ? Elle n'a pas supporté qu'il se soit trompé, voilà tout. Et, sentimental comme un homme qui se tient une cuite monstre, il sent deux larmes couler dans sa barbe. « Varus ou valgus, ce pied bot », se demande encore Charles, trois ans après. C'est un peu tard : Hyppolite cavale sur sa jambe de bois, bien mieux qu'avant l'amputation, au fond, c'est cela qui compte.

C'est compliqué, les femmes, surtout la sienne. Leur petite Berthe va sur ses quatre ans, et sa mère ne s'est pas remise de sa naissance. La pensée de Charles rumine les images qui sautent au gré de l'alcool. Du bout de sa botte, il tape dans une motte encore gelée, février est froid, et chantonne pour se donner du courage. Ragaillardi, il prend l'étrier, et le voilà en selle. Serrant sa peau de bique, il enfonce sa casquette en peau de lapin qui lui tient chaud aux oreilles.

Ce geste le ramène bien loin en arrière, le jour où sa mère l'a conduit au collège de Rouen, l'année de ses treize ans. Il a bien fait rire ses camarades avec sa casquette qui tombait tout le temps. Il n'y avait pas que la casquette : être le plus grand et le plus avancé prête à rire. Mais Charles dort comme une souche, mange bien, travaille beaucoup. Et puis ses poings sont énormes : cela a dû peser dans la relative tranquillité où il a pu travailler. Devant ses bonnes notes, sa mère le récupère, le case en ville, à Rouen, chez une vieille logeuse : cela coûte moins cher, mais surtout personne n'aura d'influence sur le garçon. Le père de Charles lui a mangé sa dot, l'a trompée : elle vit les dents serrées sur sa rage. Sur son fils.

Bourré de sucreries par sa mère, secoué par son père qui, admirateur de l'éducation spartiate, l'enverrait volontiers dormir dehors avec le chien, Charles se fait une raison. Tout en devenant, en cachette, de moins en moins raisonnable. Il apprend à aimer le punch et ne met plus les pieds à l'Ecole de Médecine. Naturellement, il rate son examen d'officier de santé Sa mère compatit : ce sont les professeurs les coupables, eux qui n'aiment pas son fils, et elle le remet au travail.

Elle guigne un cabinet à Tostes, un bourg où la pratique est bonne. Il faut une femme pour tenir la maison : elle décroche de haute lutte la main d'une veuve riche et laide, de son âge à elle, la mère. Son grand benêt de fils sera bien soigné. Le voilà enfin reçu : c'est la gloire. La veuve l'épouse. Charles laisse dire et faire : la résistance passive, il ne connaît rien d'autre. Vivre, manger, boire, dormir. Surtout dormir. Trop, au gré de sa femme : à quarante-cinq ans, il faut se dépêcher de se faire aimer. Quand sa mère est là, la vie devient impossible, elles sont toujours d'accord contre lui. Alors il fait de longues tournées...

Au petit trot de sa jument, Charles rêve toujours, fendant le brouillard tout blanc. Les arbres encore dénudés lui présentent leurs branches, et c'est tout un cortège qui lui tient compagnie.

Dans un petit matin comme celui-ci, il y a sept ou huit ans de cela, il revenait d'appareiller la fracture de M⁰ Rouault. Le bonhomme rugissait de douleur entre sa dame-jeanne d'eau de vie et sa fille Emma. Veuf depuis deux ans, il vivait avec elle. Un gros succès, cette réparation de fracture. Et puis la petite est si jolie, élevée au couvent, comme il se doit. Si sa mère à lui ne le lâche pas, la mère d'Emma, elle, a sombré dans la mélancolie après avoir accouché d'un garçon mort-né. Emma était une fille. Elle ne pouvait prendre la place du petit mort. Et la gamine sentait peser sur elle des regards qui lui demandaient des comptes de sa présence. Une bien triste enfance. En pension, au moins, toutes les jeunes filles communient dans la religion, mais ce n'est pas une raison pour y rester et se dessécher à son tour sous une cornette. Non, il vaut encore mieux s'ennuyer à tenir le ménage du père en attendant, pour voir. Et ce qu'elle voit, c'est Charles qui vient tous les jours surveiller la consolidation de la jambe.

Son épouse commence à s'en agacer fort, et finit par lui faire une telle scène qu'il jure sur la Croix qu'il ne retournera pas aux Bertaux. Il tient parole, et en échange se tient libre d'aimer Emma en secret. Jusqu'à sa mort, Charles se souviendra du matin où ses parents ont cogné au chambranle de sa porte, criant ensemble et successivement que son épouse était une malpropre, qu'elle avait menti. Sa fripouille de notaire avait levé le pied avec la caisse, et les « espérances » se révélaient être ce qu'elles étaient : du vent. Charles défend sa femme et se brouille avec ses parents. Une semaine plus tard, jour pour jour, Charles est veuf : drôle d'état, pas désagréable finalement...

La jument suit son chemin, Charles suit ses pensées.

Le voilà libre d'aller admirer — bouche cousue — les petites mains d'Emma toujours occupées à quelque couture. Un petit visage triangulaire, des cheveux noirs, tordus et relevés, des yeux bleus qui virent au noir à la moindre émotion : Emma est en attente, comme un papillon sur la branche. Elle se sauverait, c'est sûr, au moindre mouvement. Charles ne bouge

pas, fasciné. Le père Rouault n'est pas fou : il mange
son bien et surtout la dot de sa fille en bons gros
repas, alors si le garçon veut Emma, il est prêt à la lui
donner. Le mariage se fait à la fin du deuil de Charles.
Le souvenir de cette nuit de juin où elle devint sa
femme lui revient et lui coupe le souffle. Toute cette
beauté sous le satin de la robe, cet air parfumé qui
entrait par la croisée ouverte. Comme il a été heureux ! Il a trente ans, elle en a vingt.

Charles enfin se sent exister, il est celui par qui
la vie s'organise. Un métier, une femme, de quoi faire
un homme. C'est ce qu'il croit, Charles. Il s'est pris
à son métier, il croit avoir choisi Emma puisqu'elle
ne lui a pas été donnée par sa mère. Mais qui a vraiment choisi : Charles, Emma, le père d'Emma ?

Charles s'épanouit dans cette vie réglée, il ne se
tient pas d'aise d'avoir tout à lui cette jolie petite
femme. A chaque instant il va, vient, court se fourrer
dans ses jupes, la câline comme un bon gros garçon
sa petite mère... une vraie maman, pas une illuminée
qui chercherait à lui faire réaliser tout ce qu'elle n'a
pas pu faire elle-même. Leurs relations lui font compli-
ment de sa jeune épouse, il éclate de joie comme un
dindon attendrissant. Le drame, c'est qu'il n'a pas su
faire une femme d'Emma et qu'il ne le sait pas. Pour
cet homme, être pendu à elle comme un nourrisson
au sein fait toute la qualité de leur lien. Il est comblé.
Elle ne dit rien et baisse les yeux, terriblement déçue.

Emma ne se réveille qu'avec l'arrivée de sa belle-
mère qui, lasse de son mari et de l'absence de son fils,
arrive pour quelques jours. Les deux femmes sifflent
comme des vipères sous un langage neutre. La belle-
mère ulcérée d'un bonheur qu'elle n'a ni permis ni
régenté part, laissant Emma maîtresse du terrain.
Charles est aveugle, sourd et muet, mais bien content
de s'endormir le soir devant les bûches qui craquent,
servi par sa femme, dans le calme retrouvé.

L'accalmie sera de courte durée. Emma s'étourdit dans des loisirs de pensionnaire et alterne les grandes résolutions de nettoyage avec la nonchalance. Quelque chose lui manque, quelque chose dont elle a l'intuition, le désir, ce quelque chose qui lui avait permis de résister aux pressions des dames ursulines et de son confesseur : dans le rituel des grandes messes, dans l'or des chasubles et le parfum de l'encens, elle sentait s'éveiller en elle toute une dimension charnelle et spirituelle, la communion réussie du corps et de l'âme. La bonne aura le tort de s'étonner de ses brusques sautes d'humeur : Emma la chasse. Elle est devenue méchante. Charles ne s'en aperçoit pas.

Bientôt des crises nerveuses secouent Emma, contre lesquelles tout son art de médecin reste sans effet. Une invitation au château de Vaubeyssard arrive à point nommé pour distraire la femme et économiser au mari une réflexion qui aurait pu être salutaire. Mais Charles, gavé par une mère autoritaire et insatisfaite, n'aime pas se poser de questions. Il vit dans le présent et à la surface des choses : son cœur est excellent mais sa pensée vole bas. Rien de profond ne lui est accessible, sauf la douleur des malades. L'idée que sa femme qu'il adore pourrait être comblée d'un simple élan dépassant le « ma chère, passe-moi les pantoufles » ne l'atteint pas. Il la laisse dépenser son argent, c'est sa manière à lui de l'aimer. Mais Emma veut tout à la fois l'argent et qu'on lui dise « je t'aime » avec ce regard éperdu qu'a un homme lorsqu'une femme est unique pour lui.

Dans son cabinet, Charles boutonne ses gants beurre frais. Il laisse traîner les yeux sur les rangées de livres empilés dans la bibliothèque et qu'il aime sans les avoir lus. Ce savoir en conserve le rassure et conforte son savoir absent. Il est génial de toute l'expérience pratique qu'il a accumulée : il est sûr de ses mains. Mais le langage, les grandes phrases aussi raides et

effrayantes que les ordres de son père ! Jupiter ton-
nant dans les fumées de sa pipe ! Et sa musaraigne de
mère, trottinant, veillant à tout, le griffant de toute
sa volonté ! Quel couple... Lui a gagné du temps, et le
voilà venu le bon temps de ce corps si souple, toujours docile. Mais si ce corps n'était que prêté ? Cette
langueur ? Allons, Emma doit avoir besoin d'un enfant.

Faire un enfant, une petite chose qui lui retirerait
une part de la sollicitude de sa petite maman de
femme ? Philosophe, Charles se secoue : ça viendra
au moment voulu. En attendant, vive le château et le
bal. Il sort en trombe, se jette en bas des marches,
tient le marchepied pour Emma, délicieuse, toute rosie
d'excitation sous sa capote en velours vert. S'installer, enfourner les bagages ne demande que peu de
temps : un claquement de langue, et la Grise, dûment
étrillée, un ruban noué à la crinière, entraîne les époux
vers l'abîme.

La Grise trotte sec, elle sent le picotin proche.
Charles sort peu à peu de ses songes et ses souvenirs
se précisent.

Ce bal ! L'odeur du punch lui remonte au nez. Le
marquis et la marquise les ont traités comme des
égaux. Pourtant, Charles boude. Emma lui a défendu
de danser : « Ce n'est pas convenable pour un médecin ». Bien sûr, il obéit pendant qu'elle ne rate pas
une danse. Elle a même accepté une valse, elle qui
n'a jamais valsé de sa vie. Comme l'esprit vient vite
aux femmes. Emma tourne dans sa robe de mousseline jaune, garnie de roses pompon. Elle sourit au
destin qui semble lui faire signe. Tous ses rêves de
pensionnaire un peu bécasse se concrétisent ce soir,
entre une glace au marasquin et les bras de ce vicomte
pommadé qui l'entraîne dans une contre-danse. Emma
est heureuse, l'odeur du luxe chatouille ses narines
paysannes et romanesques : l'argent donne la puis-

sance, les facilités, des distractions incessantes, tout ce que ces belles dames ont sans s'être donné aucune peine. Emma raisonne comme une enfant de sept ans, elle rage contre la vie qui ne l'a pas faite marquise. Et cet idiot de Charles qui, par sa seule présence l'empêche de vivre son rêve. A l'aube, pendant que son mari ronfle dans le lit à baldaquin — il dormait déjà dans le salon, un valet a dû le réveiller, Emma était cramoisie de honte — la jeune femme sent en elle une corvette appareiller pour elle ne sait quel départ : un autre viendra dans sa vie, elle le sent. Entre celle qui est arrivée au château et celle qui le quitte, l'adultère a creusé son lit.

Enjeu d'une guerre sans merci entre sa mère bafouée, desséchée de rancune et un père violent, Charles s'est, dès l'enfance, réfugié dans l'absence à lui-même. Conformiste à l'imagination nulle, il tente pourtant un banco : cette fille, jeune, belle, avide d'absolu et du reste, tiraillée entre des origines modestes et une éducation de demoiselle, le fascine, et pour une fois il croit trouver le bonheur. Alors bien sûr, elle a tous les droits, même celui de le mépriser un peu. Il en a l'habitude, il le mérite sans doute. Et puis ce n'est pas bien grave puisqu'enfin il aime. Charles ne détestait pas sa première femme qu'il n'avait pas choisie. Il ne déteste pas sa mère qui aplanit toutes les difficultés et lui apporte ce qu'il ne demande pas. Mais s'il pouvait se sentir le fils de ces deux femmes, avec Emma, il fallait en plus être un homme.

Emma, de son côté, vendue par son père à un homme qui incarne l'espoir d'une vie plus douce, Emma aurait-elle aimé l'homme s'il s'était révélé ? Qui peut le dire ? Enfant à peine tolérée, subie, Emma a une revanche à prendre : elle veut aimer et être aimée.

En attendant le Prince Charmant, elle se laisse

couler : sa belle-mère que personne ne peut suspecter de complaisance en est effrayée : Emma ne mange plus, elle veut quitter Tostes, elle veut partir et sanglote dans son lit. Un jour, elle crache le sang. Ce sera l'argument décisif.

Contraint par sa mère de s'installer à Tostes, Charles sera contraint par sa femme de quitter la ville où il s'était fait, par lui-même, une position sociale. Et la contrainte s'exerce là précisément où Charles est le plus vulnérable : la maladie. Lorsque le couple quitte Tostes pour Yonville, Emma est enceinte. Comment Charles, ce fils devenu médecin, oserait-il s'opposer à celle qui prend rang de mère ?

Charles soupire. La Grise s'est arrêtée sournoisement pour mâchonner une branche basse. Il la laisse faire : une image le hante plus vraie que la réalité. Il revoit l'arrivée à Yonville.

Partie de Rouen dans l'après-midi, la patache arrive pour le souper à Yonville, à l'hôtel du « Lion d'or » où tout le monde fait étape. Emma descend la première, suivie de Charles et de la petite bonne, Félicité. Son visage, niché dans la blancheur de son grand col, le nez dans une cravate bleu pâle, elle resserre frileusement sa mante autour d'elle. Dès l'entrée dans la salle, elle rejette le drap lourd et sourit au comité d'accueil. Ils sont trois, venus porter leurs hommages à la femme de leur nouveau médecin : le pharmacien, au chef couvert d'une calotte grecque, le percepteur, étriqué dans une redingote de coupe militaire, et dans l'ombre, un tout jeune homme, presque un adolescent dont il a encore la peau duveteuse, Léon Dupuis, le clerc de notaire. Les présentations sont vite faites, et l'on s'installe dans une petite salle, préservée des cris et des jurons du menu fretin attablé devant du cidre et de l'eau de vie. Emma regarde Léon à la dérobée ; s'enhardissant, elle tourne la tête et croise le regard du jeune homme : elle le sent peser sur elle, à la toucher, tant il est intense. Une bouffée de joie la saisit tout à coup. La vie revient à elle, le cœur lui cogne à grands coups, la voilà charmante, faisant la coquette avec le gros balourd de pharmacien, souriant au percepteur, arrangeant la cravate de son mari... C'est une résurrection, où Emma et Léon partagent leur commune nostalgie : ils se sont reconnus. La fin de la soirée arrive vite : le percepteur et Léon habitent la même maison que le pharmacien, mitoyenne de celle que le couple va occuper sur la grand place du bourg.

Le matin, Emma derrière les rideaux de percale, voit le monde aller et venir. Léon la devine, ou l'espère, derrière sa fenêtre lorsqu'il se rend à l'étude. Les jours de marché transforment le calme de la place en un caravansérail. Une bousculade bigarrée réunit les blouses plissées, les coiffes cauchoises et les quelques habits qui vont se frotter au peuple. Le bruit envahit toute la matinée. Marchandages rimant avec bavardages, les nouvelles courent, les ragots aussi. Emma ne sort jamais ces jours-là. D'ailleurs sa grossesse avance, et c'est le monde qui vient la visiter. Le pharmacien passe presque tous les soirs, Léon suit, dans la foulée. Quand le médecin et le potard en sont à la politique, ils s'assoupissent, le nez dans leur cravate, et rôtissent au coin du feu leur face déjà rongée par la bonne chère. Emma et Léon parlent, gravement.

Le terme approche. La jeune femme rêve d'un fils qui ne serait pas, lui, ligoté par les convenances qui font de la femme une majeure incapable. Le travail commence une nuit. Charles se bouche les oreilles et s'enfuit au fond du jardin pour ne pas entendre crier sa petite femme : heureusement, la sage-femme connaît son affaire. Des bassines, des tonnes d'eau chaude, une cafetière. Au matin, c'est une fille qui naît. Emma en perd connaissance. Revenue à elle, elle repousse la matrone qui lui donne le bébé à embrasser : seul un petit visage émerge de cette momie blanche, un visage qui ressemble à celui du père Rouault. Emma ne veut pas voir ce qui lui a labouré le ventre pendant de longues heures. Dans ces cas-là, mieux vaut ne pas insister, les nouvelles accouchées ont parfois de drôles d'idées... Le lendemain, Emma ne veut toujours pas de cette étrangère, cette chose baveuse, braillarde, souillée. Des sanglots convulsifs la rejettent sur ses oreillers. Charles, affolé, la calme en lui jurant de trouver une nourrice dans les heures qui suivent. Le colis nouveau-né quitte la maison de ses parents pour celle d'un menuisier : sa femme servira de vache laitière. La petite fille aura cependant été congrûment baptisée d'un joli prénom, Berthe.

Une journée de printemps, à l'heure où le repas vide les rues, Emma prise d'un vague remords s'en va vers son enfant. Mais elle est encore si lasse... La chance veut que Léon passant par là lui offre son bras. Tous deux font visite à la nourrice. La petite va bien, la nourrice exploite cette femme de riche, tout est dans l'ordre. Mais le bras de Léon, le souffle de Léon ! Devant la tentation de son corps, Emma trouve les mêmes réponses qu'elle apportait à la vacuité dans laquelle ses premières nuits de femme l'avait laissée : les grands rangements domestiques, les pantoufles brodées, les bonnets de coton artistement rangés dans l'armoire. Charles est béat. Mais cela ne suffit pas car les visites de Léon ont repris. Toute la journée, Emma pense à son odeur, à sa peau, au parfum léger de son mouchoir. Le soir, lorsqu'il arrive, son exaltation tombe. Emma ne supporte pas sa présence. Lorsque le souffle de Léon lui chatouille le cou, elle se contient pour ne pas le jeter dehors. Alors, prise d'angoisse, elle va chercher sa fille. L'enfant, qui va avoir deux ans, sera une muraille infranchissable. Léon comprend, et part finir son droit à

Paris, désarçonné par cette honnête femme, fatigante de l'être en ne l'étant pas.

Emma est un peu malade, Charles pleure et appelle sa mère au secours. Et comme d'habitude, la belle-mère quitte la maison sans avoir eu prise sur cette belle-fille qui a ensorcelé son fils.

Rodolphe, un voisin, venu faire soigner son valet, ne pouvait trouver meilleur moment pour entrer dans la vie de Charles et Emma. La jeune femme est présente, très maîtresse d'elle-même, tenant le plat où coule le sang. Le peu de naïveté qui dort au fond du cœur de ce roué, ce viveur venu faire une fin dans un domaine acheté à deux lieues de là, s'émeut. Rodolphe repart avec son malade, touché et furieux de l'être. Il veut cette femme visiblement maternelle avec son nigaud de mari, gentille et insatisfaite. Cela, Rodolphe le devine toujours et sait en profiter. C'est simple : il revient une semaine plus tard, le temps de s'être fait désirer. Quand elle le voit, Emma blanchit. Rodolphe comprend qu'il a encore gagné. Il propose des promenades à cheval qui feront le plus grand bien à Emma. Elle refuse. Scrupules ? Peur du mâle ? Qui saura jamais ? Mais son mari insiste, la tente avec un bel habit d'amazone. Vaincue, Emma accepte.

Un matin d'automne, ils partent, elle est charmante sous son petit haut-de-forme noué d'un voile léger. Charles, ravi, leur fait de grands signes avec son chapeau d'aussi loin qu'il les voit. Les allées de haute futaie sont striées de soleil. Sur la mousse, les sabots des chevaux s'étouffent. L'homme et la femme sont silencieux. La senteur des sous-bois monte, et Rodolphe, sans un mot, offre sa main à Emma pour l'aider à descendre de cheval. Ce qu'ils se dirent, ce chassé croisé où la femme se défend comme une biche se sauve en regardant si le cerf la suit bien, les refus, les paroles qui saisissent avant les bras, la dure victoire, nous ne pouvons que les imaginer. Ce que nous savons, c'est qu'Emma rejoint sa maison, illuminée.

Elle monte dans sa chambre, se glisse au lit, fait dire qu'elle a pris froid, non, chaud, enfin qu'elle est malade, et puis qu'elle a la migraine, qu'elle veut être tranquille. Enfin, ne la laissera-t-on jamais en paix ? Charles, toujours philosophe, se dit que cela va passer, que c'est bon signe, la santé qui revient, tout ce qui répond aux questions qu'il ne se posera jamais, et se dresse un lit de camp dans son cabinet de consultation. Emma, en haut, est heureuse : son corps sait, enfin. Ses rêves les plus fous étaient mièvres à côté de cette réalité partagée il y a quelques heures à peine. Elle se roule dans ses draps frais en pensant à l'autre corps, si dur, si précis... Elle s'endort, millionnaire de plaisir.

Le lendemain est quotidien. Charles lui devient insupportable, et même haïssable. Tout en lui la repousse, ses qualités plus encore que ses défauts. Berthe ? Si elle le pouvait, elle la jetterait dans l'escalier... Emma se repent d'avoir de telles idées, mais est-elle responsable de ce qui lui passe par la tête ? C'est précisément à ce moment que Charles opère le pied bot du garçon d'écurie. Non, il ne s'était pas trompé sur la date de ce changement d'Emma à son égard. Il s'est mépris sur la cause, voilà tout...

Quand la mère de Charles, qui apparaît toujours aux moments cruciaux de la vie de ce couple, vient passer quelques jours à Yonville, elle flaire quelque chose : sa bru est heureuse et son idiot de fils plus que jamais en extase devant sa femme. Cela, par-dessus tout, lui est insupportable. Alors elle s'en prend à Emma, cette gaspilleuse qui fait filer le bien par ses achats de courtisane. Le torchon brûle entre les deux femmes. Charles supplie : également attendries, elles signent un armistice. Comment refuser la tranquillité à ce bon gros bébé écartelé entre deux mères qui ont tout pouvoir sur lui ?

LA MERE ABUSIVE

Mais Emma n'en peut plus de ces jours qui se traînent, elle cherche l'air à chaque instant comme une bête assoiffée hume le vent d'eau. Elle attend que le soir vienne. Le souper est vivement expédié et elle se retire, prétextant quelque migraine. Le médecin ne comprend pas, le mari encore moins. Quand il monte, il la trouve endormie. Dès qu'il ronfle sur l'oreiller, elle rouvre les yeux. Sur la pointe des pieds elle descend l'escalier jusqu'à la resserre où est cachée son amazone. Seller la jument offerte par Charles est un jeu d'enfant. Elle sort par le fond du jardin, où une brèche dans la clôture lui permet de foncer sans attirer l'attention. Elle saute les haies, traverse les prairies au droit, riant à l'amour qui la suit en croupe et à celui qui l'attend. Elle galope vers Rodolphe qu'elle surprend et aime follement jusqu'au petit jour. Un matin, au retour, le percepteur la croise. Une excuse idiote lui vient aux lèvres, elle a peur... deux jours au moins !

La passion est la plus forte. Rodolphe, d'abord attendri, est inquiet. Il craint le scandale. Emma visiblement n'en peut plus de cette vie : elle le presse de l'enlever, avec Berthe : l'amour la rend humaine... La femme, passe encore, mais la petite fille de deux ans et demi ! S'expatrier en cette compagnie ? Emma fait demander le marchand à la toilette, le sieur Lheureux, à qui elle commande une pelisse, une grande caisse, un sac de voyage. Le marchand comprend et se tait, fournissant ce qu'on lui demande et ce qu'on ne lui demande pas. Il compte le tout à un prix renversant. Emma ne veut pas le savoir et signe des billets. Rodolphe balance. Il l'aime tendrement mais il est affolé par l'insouciance d'Emma pour qui ce départ va de soi. Elle n'a pas les pieds sur terre, elle veut tout, et trop : l'amour, l'argent, l'enfant, les lacs italiens, la position à Paris, la particule... Non, il ne peut assumer cette soif-là. Il en convient, il va se conduire comme une lâche, mais qui sait ? Qu'aurait été pour cette femme le poids du scandale ? Rodolphe réalise clairement que ce piège conjugal au rabais n'est pas fait pour lui. Et il se conduit comme un petit, un tout petit, gentilhomme.

La veille du départ tant attendu arrive. Etouffée par la joie, Emma se contraint à paraître naturelle. Pour la dernière fois, attendrie, elle prépare la tisane préférée de Charles, de la fleur d'oranger. Ces menus soins lui sont doux au cœur, comme une vie en petite musique qu'elle n'a pas su ou pu entendre. La nuit passe, elle dort, assommée. Le lendemain, une corbeille d'abricots arrive, portée par Justin, le galopin de la pharmacie qui sert d'entremetteur habituel aux amants. C'est simple, pour la femme du médecin il se jetterait en enfer ! Sous les feuilles de vigne sombres qui protègent les fruits de la paille dure, Emma trouve un mot, s'en saisit avec délice, l'ouvre, le lit... Hébétée, elle tourne les yeux vers la fenêtre, un cabriolet passe : c'est Rodolphe qui part, seul. Elle rougit, pâlit, pousse un cri horrible et tombe, inanimée.

Cette fièvre cérébrale l'a vraiment rendue chose, réfléchit Charles au pas de sa jument, lentement dégrisé par le petit froid de ce matin de février. Au point qu'elle a voulu recevoir l'Extrême Onction. Personne n'en revenait, surtout pas le curé. Le pharmacien, libre penseur militant, en était tout remué : il est bien vrai que la femme est un être vulnérable qui a besoin de la raison masculine pour penser droit. Oui, cela doit être, elle disait de si drôles de choses dans son délire, se rappelle Charles.

La malade passe des jours entiers à regarder le ciel de Normandie pommelé de merveilleux nuages. L'hiver passe, puis le printemps. Lheureux réclame des notes incroyables, demandant l'arbitrage de la malade. Charles paie, surtout sans réfléchir. Emma recommence à sourire : un jour où l'air est doux, elle descend faire quelques pas au jardin, au bras de son mari. La petite Berthe marche sur ses quatre ans. L'avenir semble s'ouvrir à nouveau pour cette famille. Pourquoi ne pas distraire Emma en l'emmenant au théâtre à Rouen ? On donne « Lucie de Lamermoor », un drame romantique.

Quel casse-tête cette musique pour le malheureux médecin qui n'est pas fait pour les emportements du bel canto ! Au moins, la soirée n'est pas perdue, ils ont rencontré une ancienne relation, Léon Dupuis, maintenant premier clerc de notaire à Rouen. Justement, le père de Charles vient de mourir, Léon sera fort utile. Charles encourage Emma à passer tranquillement la nuit à l'auberge et à rentrer le lendemain après avoir visité la ville. Léon, entre ses dents, lui fixe un rendez-vous à la cathédrale. Emma hésite toute la nuit, mais vraiment, peut-elle le laisser attendre ? Elle va au rendez-vous pour dire à Léon qu'elle n'est pas la femme qu'il croit, et ils passent toute la journée dans une voiture de louage, Léon hurlant au cocher de repartir dès qu'il s'arrête pour faire admirer un des hauts-lieux de la ville à ces étranges visiteurs. D'abord étonné, le cocher en prend son parti. Le plus grave est qu'Emma a laissé passer l'heure de la patache qui l'a pourtant attendue trois quarts d'heure. Sautant dans une voiture de louage, elle rattrape enfin « l'Hirondelle » avant la grande côte, avant le sommet où toujours le destin veille. Il a la forme innommable d'une figure à peine humaine, les orbites vides et sanieux, la cervelle fêlée, hurlant des chansons de jeune fille amoureuse et rançonnant les voyageurs de toute son horrible infirmité. Régulièrement le cocher l'envoie valdinguer d'un coup de fouet bien appliqué, et régulièrement, chaque soir, l'homme se cramponne à la caisse qu'il entend peiner dans la montée. Toujours ces chansons, toujours cette face ravagée : Emma a peur. Quelque part, elle sent que la mort en elle est en marche, et cet infirme ne serait-il pas le valet narquois chargé de l'annoncer ?

Demander à Léon de se déplacer jusqu'à Yonville pour arranger les affaires du beau-père aboutit à faire signer une procuration générale par Charles sur tous les biens. Lheureux en profite. Charles, ravi d'être débarrassé des soucis de la gestion, dort béatement, ses petites mains nouées sur son ventre replet. Emma veut un tapis pour la chambre, s'habille comme une cocotte, prend des leçons de piano à Rouen : tout cela lui va bien au teint. A Léon aussi, d'ailleurs.

Mais ce dernier, sourdement, se sent de plus en plus mal à l'aise. Si chaque semaine sa maîtresse arrive dans leur chambre avec le même regard de jeune fille amoureuse, et range les objets comme une bonne ménagère inventorie son bien — des globes de lampe à pétrole au gros édredon rouge — au lit elle devient une étrangère : dans le fort du plaisir, ses cheveux dénoués se tordent comme des serpents sur l'oreiller, ses yeux se révulsent, son beau corps se prend de convulsions effrayantes. Jamais assouvie, elle veut jouir, toujours plus, toujours autrement.

Un soir, en descendant de la voiture, Emma trouve l'huissier chez elle : il vient de faire l'inventaire, demain le mobilier sera vendu sur la demande de Lheureux. Par chance, Charles a été retenu. Elle galope chez Rodolphe, chez Léon, chez le notaire : les deux premiers n'ont pas l'argent qu'elle leur demande, le troisième est prêt à l'acheter... Alors elle rentre chez elle. Le cauchemar commence.

Au pas de son cheval, Charles, complètement dégrisé, atteint les premières maisons du bourg, sa maison vide de l'absence d'Emma. Il ne peut pas encore admettre qu'elle ne reviendra plus jamais. L'arsenic, l'agonie, l'enterrement, comment tout cela peut-il être réel ?

En rentrant chez lui, Charles affolé de ne pas trou-

ver Emma l'avait cherchée partout. Enfin, elle était
rentrée, calme, silencieuse, lui demandant de ne rien
dire. Dans la nuit tout avait commencé. Au début,
Emma était bien, elle avait demandé à embrasser sa
fille qui, apeurée, demanda qu'on l'emmène. Et puis
les scènes atroces avaient commencé.

Charles ne survivra pas longtemps à Emma. Le
temps seulement de tout comprendre ; et d'échapper
enfin — trop tard — à sa mère. Fidèle à son amour,
il paie les dettes d'Emma, refuse de se séparer des
objets qu'elle a achetés, et va jusqu'à l'imiter dans
une folie de dépenses. Il soigne son apparence et
s'occupe de la petite fille avec laquelle il vit seul,
depuis qu'il a chassé sa mère... Recueillie par une
tante pauvre à la mort de son père, Berthe ira à
l'usine.

Charles s'était trompé de registre. Emma n'a jamais
rencontré l'écho de sa passion : Rodolphe, Léon, des
ombres. Alors comment l'enfant — une fille pour la
fille qui avait pris la place d'un garçon, une fille
pour le garçon qui cherchait sa mère dans toutes les
filles — aurait-elle pu trouver sa place ? Elle ne pouvait, à elle seule, combler le désert dans lequel errait
sa mère, et son père n'était qu'un petit garçon : les
enfants ne peuvent pas avoir d'enfants. La petite
Berthe était orpheline de naissance.

Flaubert a raconté l'histoire de Charles et d'Emma,
Madame Bovary.

10.

ANTIGONE

une mère suicidée

*Au fond, malgré les différences d'épo-
que et d'objectif, la représentation du
pouvoir est restée hantée par la monar-
chie... De là l'importance qui est encore
donnée dans la théorie du pouvoir au
problème du droit et de la violence, de
la loi et de l'illégalité, de la volonté et de
la liberté, et surtout de l'Etat et de la
souveraineté.*

Michel FOUCAULT.

MOURIR POUR L'EXEMPLE
Ce texte est une interprétation
de la tragédie de Sophocle.

La poussière, toujours la poussière : dans sa mémoire, tout disparaît dans la poussière. Ici, ce soir, c'est une fine couche de sable. Le corps disloqué étendu à côté d'elle est gainé d'ocre : une des deux mains du cadavre essaie d'en cacher la figure, faisant penser à l'expression d'un enfant pris en faute. Le frère ne devait pas avoir la conscience tranquille, songe la petite qui n'a pas encore seize ans. Maintenant il est mort.

C'est la dernière d'une nichée de quatre. Celle que le père préférait. Devenu infirme, il l'entraînait dans d'interminables courses aux quatre coins du pays. Elle le tenait par la main. Un aveugle est comme un enfant. Ils usaient leurs sandales sur les petits chemins. Au loin, les oliviers défilaient sous le soleil en longues rangées bleues, comme attachés au moyeu de l'horizon. Les collines douces cascadaient jusqu'au sol rouge, et leur fourrure de pins parfumait l'air au point que l'aveugle les nommait sans hésiter.

L'homme et l'enfant marchaient ensemble jusqu'à la nuit. Là ils demandaient abri dans une grange, ou bien dormaient dehors, sous le noir clouté de lumière. Les paysans craintifs leur portaient le pain et le miel, le lait et les olives. Au petit matin frais, avant que le soleil méditerranéen ne leur tombe sur la nuque, ils s'en allaient. Elle portait une méchante robe serrée à la taille par le fouet du cocher qu'elle avait chipé. Lui s'enveloppait dans un manteau de pauvre lui donnant l'allure d'un fantôme en plein midi.

Il ne se supportait plus dans sa maison. Il se contenait à grand-peine, levant au ciel des yeux morts comme pour dire quelque chose. Quand il n'en pouvait plus, il appelait la petite et courait en dehors des murs comme un taureau furieux : elle le suivait de toutes ses petites jambes sans jamais se plaindre. L'immensité de l'air bleu, le vent apportant la senteur des arbres, le friselis des peupliers étaient seuls capables de bercer le désespoir de cet homme prématurément vieilli. Il a fini par mourir, enfin immobile. Ne gênant plus personne, il n'inspire plus désormais que le respect.

Depuis cette perte, la petite est tout à fait seule. La mère était morte au moment où le père avait perdu la vue. Malgré la gentillesse agaçante de la sœur aînée qui régentait tout, le froid était dans la maison.

Maintenant la « petite » est devenue une jeune fille. Toujours assise dans le sable auprès du mannequin froid, elle laisse aller sa mémoire. Les deux jumeaux, ses frères, étaient tout bonnement impossibles. Bagarreurs, voulant toujours tout commander, il avait fallu leur partager l'héritage après la mort du père. Pour les calmer l'oncle avait trouvé une solution : chacun commanderait à tour de rôle. Au moment de céder la place le premier à exercer le pouvoir y est resté.

Quelle histoire ! songeait la petite, dans le crépuscule. Mais ce n'était vraiment pas malin, pour l'autre, de venir avec les gens d'à côté pour exiger son droit. Et la grande sœur qui pleurait ! L'oncle se grattait la tête en traitant ses neveux d'irresponsables. C'est un homme pratique : le « bien » fait vivre, se gère, se partage. Pas facile de faire avec cette famille de fous ! De quelque côté que l'on se tourne depuis que le grand-père des enfants s'est fait pincer à courir le guilledou après son mariage, tout va mal : à croire que le ciel fait payer l'addition à toute la descendance.

La petite songe toujours. Elle est assise tout près du cadavre. Elle y a du mérite, il a fait si chaud toute la journée. Maintenant le soleil couchant rosit les remparts. Petite silhouette enroulée dans une robe délavée d'usure, elle croise des mains fines autour de ses genoux. Le profil qu'elle lève sur l'horizon, vers l'étoile du Berger, est pur : c'est une fille de famille, ça c'est sûr. Avec les orteils, elle gratte rêveusement le sable.

Le soleil s'est couché. Aller dormir. Demain on verra. Le frère n'en sera pas plus mort. Sa mère disait toujours qu'il fallait laisser passer la nuit si tout était vraiment compliqué. Elle n'aurait pas dû se faire périr, celle-là : vraiment on ne laisse pas quatre gosses à un père aveugle et déprimé, par-dessus le marché. Ce n'était vraiment pas la chose à faire. Même si elle avait peur de l'opinion des gens ! La mère ne devait rien avoir dans la tête et pas grand-chose dans le cœur pour être partie, pour s'être pendue comme une lâche ! Elle ne nous aimait pas, ce n'est pas possible autrement. Elle n'aimait que le père. Dès qu'il faisait sonner ses pas sur les dalles, quand il avait encore ses yeux, menait les gens et les choses, la mère lissait les plis de sa robe, puis se figeait comme une bête à l'arrêt : elle mordait vite ses lèvres pour en aviver la teinte et fabriquait son plus beau sourire. Oui, fabriquait : ça n'allait pas avec ses yeux, ses yeux verts fascinants comme ceux d'un serpent. Il lui en fallait du temps, d'ailleurs, pour ravaler sa façade ! Fards, savons, parfums, comédies ridicules où elle alignait toute la maisonnée — serviteurs y compris — sur le bord de la piscine, histoire de demander quelle parure était la plus réussie. Pas question d'y échapper ni de se tromper : dans un cas comme dans l'autre, c'était le fouet, tout simplement.

Il faut dire que c'était là, la vraie maison : maîtresse et suivantes s'y tenaient presque toute la journée, les unes guettant le moindre signe de l'autre. Pois chiches, graines de sésame, fromage de chèvre, gâteaux au miel étaient passés sur un simple claquement de doigts de la patronne. Pyramides d'oranges et citrons embaumaient l'air.

Les enfants, comme de petits animaux tolérés à la lisière d'une contrée civilisée étaient refoulés sur un des quatre coins : non que leur mère ne les aimât point, mais vraiment elle ne vivait que pour conserver ce reflet de beauté qui attirait encore. Pour combien de temps ? se demandait-elle, torturée par la terreur de vieillir seule... Son premier mari, tué dans une algarade comme un homme de peu, l'avait laissée seule à se débattre dans un domaine où l'aide de son propre frère ne dépassait pas la compétence d'un médiocre régisseur. Elle avait peur, et de ce fait tout en elle fuyait la logique des choses pour se replier dans l'instant, sur la sensation heureuse, sur le plaisir. De plus les quatre enfants étaient beaux : les jumeaux, les aînés se tenaient à cheval comme des centaures... La troisième était une bonne grosse montrant une sagesse pratique au-dessus de son âge. Quant à la dernière, ombrageuse comme un cheval devant un sac en papier, elle déroutait toutes les tentatives faites pour l'intimider ou la séduire. A quatre ans la gamine avait hurlé

196

pour monter sur un poney amené là pour l'un de ses frères. Elle s'était tenue à cru et avait lancé la bête, sans tomber... Le capitaine des gardes, interloqué, était allé sacrifier une chèvre pour la protéger. La mère la respectait. Etaient-ce les merveilleux yeux violets du père qui se retrouvaient dans le regard de l'enfant ? Ou bien cette petite qui se serait fait tuer sur place réveillait-elle chez la mère un instinct enfoui, celui de la dignité ?

Le bureau des pleurs, c'était l'écoute de cette gamine : toutes les supplications des domestiques, la frousse des frères ayant fait des blagues, les robes neuves de la mère, elle racontait tout à son père : il lui accordait toujours les grâces... sauf le jour où un des jumeaux fit entrer son cheval dans la piscine : dix coups de ceinture administrés par le père lui-même. A part une sourde rancune qui lui grignotait le foie, rien ne transpira de cette affaire.

La mère était cruelle. Elle devait avoir peur de perdre son beau mari. C'est terrible d'aimer un homme qui par l'âge peut être le frère de ses propres enfants... Un matin, pendant le bain où la maîtresse aimait à jouer avec ses suivantes, le père passa sous les arcades et sourit à Bilitis, la plus jeune, la plus charmante de toutes. Ça n'a pas traîné : deux heures plus tard, elle était crucifiée. Les enfants, intrigués, lui lancèrent de l'eau, histoire de voir. Puis ils s'en retournèrent à leurs balles. La reine elle-même, qui avait entendu les hurlements du début en sortant une pointe de langue rose entre ses dents de chat, en était vaguement écœurée. Elle donna l'ordre d'achever la mourante avec un lacet. Etranglée c'est comme pendue. Ça va vite.

Terrible, d'être jalouse. En Méditerranée les femmes vieillissent vite. A l'idée que le père pouvait en aimer une autre, ou même que ses propres filles pouvaient

197

un jour l'égaler en beauté, elle devenait folle de rage, et le regard d'émeraude vrillait avec l'expression d'une haine infernale. Mais combien le regard devenait doux quand l'époux la menait dans leur chambre. Ils y restaient très longtemps. Pendant ce temps-là les garçons faisaient les cent coups, lassaient le monde, rendaient leurs nourrices enragées... la grande faisait son importante. « Moi, j'espérais papa », murmure la jeune fille.

Mue par une impulsion subite, l'enfant fine se lève comme on se déploie. Puis se met en route vers les maisons que l'on devine. Son pas balance comme chez celui de qui connaît la marche. La nuit est tout à fait tombée. Seules les torches de résine fichées dans un anneau à la porte de chaque maison permettent de deviner les ruelles. On voit les gens à l'intérieur rire, manger, enfin rassurés par la fin du combat. Elle marche d'un pas égal comme le Destin lui-même le fait au fil des heures.

Les murs de sa maison sont au fond de la Grand-Rue. Belle maison, emplie autrefois de choses et de gens, les uns et les autres venus des quatre coins du pays et même d'au-delà des mers. Les salles succèdent aux salles : un vrai palais. Maintenant c'est une maison quasi-vide. Elle monte les marches : à gauche, un bruit : c'est le frère qui a gagné contre le mort (son propre frère, et cela, il faut le faire !) festoyant avec ses amis. Toujours du même pas, elle va à droite vers les cuisines où la grande doit être encore à l'attendre : que c'est énervant cette sorte d'amour tout juste occupé à nourir et à empêcher de vivre par peur de tout ! La lueur d'une lampe à huile fait un fanal, juste au tournant du couloir. Voilà la voûte toute proche : par le cintre, on aperçoit l'ombre de l'oncle qui se projette sur le mur, et s'agite dans la pauvre clarté d'une torche plantée dans la table d'olivier. Les bancs immenses sont vides, sauf ce pantin devenu énorme

198

sur le mur et, en face, la silhouette tassée de la grande sœur qui pleure.

Ils doivent aller bien mal pour ne pas rouspéter contre moi, ces deux-là, pense la petite : d'habitude, c'est par là qu'ils commencent. Tout est toujours dangereux pour eux. Si mon cousin est de la même eau, autant rester fille que de s'encombrer d'un numéro qui deviendrait comme son père en prenant de l'âge.

C'est vrai que l'enfant sans mère, privée du père qui la reliait aux choses réelles (ne serait-ce que par le soin qu'elle devait prendre de lui) ronge son frein comme une cavale enchaînée dans une écurie. Son monde à elle, c'est le vent, les étoiles, le vrai, le bon : l'idéal.

Seulement ses galops la conduisaient uniquement dans les souvenirs et dans les rêves. La brutalité du monde, elle connaît. Mais tant pis. D'abord faire ce qui doit être fait : laisser le cadavre tout seul hors des murs, là où l'autre l'avait abattu, violait la règle la plus sacrée, celle du respect dû aux morts. On ne tue pas deux fois. Mais la forme pétrifiée était à respecter puisqu'elle rappelait le destin de chacun. Et la petite avait rendu les devoirs prescrits par sa foi. Vraiment, la mort violente, ça devient une habitude, dans la famille. Elle se glisse à côté de sa sœur, face à l'oncle ventripotent et froid. A côté de la cheminée une forme enroulée dans des chiffons : la nourrice qui fait partie des meubles. Un peu partout, des lueurs. Cuivre, fer, poteries posés sur le sol se devinent au hasard des flammes courtes qui jaillissent. La sœur, d'habitude si souple, se plaint que le corps de son frère soit abandonné aux chiens.

« Pour l'exemple ! » répond l'oncle. Quel exemple ? Est-ce que la victoire de l'autre, cette ordure qui a refusé de partir en temps et en heure et est la cause de tout ce drame est un exemple ? Le mouton de sœur est devenu enragé, brusquement. Le tonton n'avait pas prévu cela. Alors coulant sa voix dans de la soie, il parle avec componction de la paix, de l'intérêt du peuple, ces pauvres gens qui ont besoin d'une règle simple... tout y passe. Il parle le langage de la raison et qui plus est c'est un homme : la grande est habituée à ce que les hommes aient raison : non, que les femmes leur donnent raison, quitte à les manœuvrer à coups de boîtes de fards... les laisser faire, les laisser dire, et surtout les laisser s'épuiser dans les sables du lit...

La grande se tait, vaincue. L'oncle se tourne vers la petite silhouette de l'arrivante, lovée sur le grand banc : « Ma pauvre enfant, il faut être raisonnable. Tout ça c'est de la politique. Heureusement, tu vas te marier. Avec un enfant à la mamelle tu auras enfin la tête à sa place. » La petite sourit. Enhardi, le vieux graisseux continue : « Je te ferai un beau mariage. Et puis je donnerai à mon fils cette maison que tu aimes, au bord de l'eau. Vous serez très heureux. » « Et vous aurez beaucoup d'enfants », complète la petite en elle-même en se cramponnant pour ne pas pouffer.

L'oncle est surpris car elle ne répond pas. Car la petite a toujours été une révoltée. Le jour où il a donné l'ordre de lancer le plus vieux serviteur, un vieux sac d'os, dans le vivier aux lamproies, elle a hurlé. Pas deux sous de jugeotte, la digne fille de son fou de père. Sa sœur à lui en avait. Heureusement l'aînée de ses nièces est du côté de sa mère. Quoique cette dernière ait épousé un type venu je ne sais d'où, sous prétexte qu'il avait débarrassé le pays d'une sale bête ! Bon, c'est vrai, c'était promis. Mais en politique les promesses... Un bon coup de poignard, et la question était réglée. Ici ça avait été régulier — enfin, si l'on peut dire. Que de catastrophes en avaient découlé : pour terminer, la bagarre entre les deux fripouilles de frères et leurs copains. Pour terminer, c'est à voir :

qu'est-ce qui se cache dans sa petite tête frisée, ce mouton noir ?

L'oncle sent la peur le gagner. La nièce aînée ne dit plus rien, abrutie par le malheur et la servitude. Mais l'autre plante ses yeux violets droit dans les siens, et dit : « C'est à faire ». « Qu'est-ce qui est à faire ? » « Ne pas laisser le mort sans les libations d'usage. » Du coup l'oncle qui croyait la partie gagnée écume. « Qu'est-ce que j'entends ? Tu oses t'opposer aux règles qui veulent qu'un traître mort soit laisé exposé, devant ainsi pour l'éternité errer sans repos. Je t'interdis, graine de femme, de te mêler à cela ! » L'oncle, soufflant de fureur, ajoute : « Tu sais ce qui t'attend si tu désobéis, idiote ? » « Oui », répond l'enfant. « Bien. » « Non, pas bien du tout ! Mourir en guise de vie, comme remède pour devenir sage, on fait mieux ! Et quelle sagesse ! Quelle pauvreté de sentiments ! Si je veux, moi, sauver le respect dû au mort et à la famille, tu me fais exécuter ? » « Oui ! Et même ce sera avec plaisir si tu continues à m'asticoter, femelle ! »

La sœur aînée est affolée. Elle pousse l'homme vers la porte qui s'ouvre sur le couloir noir avant que sa sœur n'augmente la casse. « C'est fait », dit la petite. Modeste, mais manifestement très fière d'elle. Sans l'ombre d'un regret. Dame, la mort, elle connaît. Un peu plus tôt, un peu plus tard... Mais au moins, que ceux que l'on va retrouver vous accueillent à peu près correctement parce que l'on a fait ce que l'on devait. Le frère ne valait pas grand-chose, mais elle n'allait pas pour autant renoncer aux traditions.

C'est la vie qui est compliquée : bien sûr partir sans avoir jamais vécu comme une femme, c'est dur. Mais moins dur que de se mépriser. Quand on appartient à une famille déshonorée, il faut bien payer pour lui redonner du lustre : le prix c'est la mort. Le frère, couché maintenant dans une tombe décente, doit dans l'au-delà avoir retrouvé son bon sourire. La sœur aînée ouvre la bouche, comme terrifiée par une apparition. Elle connaît l'oncle, orgueilleux comme un pou monté sur une teigne. Si elle désobéit, la petite mourra de faim dans une cavité murée. La mère, le père, le frère, et maintenant cette petite qu'elle aime comme si c'était sa fille !

Elle reste là, stupide de douleur, saignant de toute cette maternité qu'elle a endossée sous les sarcasmes, entêtée à protéger la nichée turbulente. L'horreur plane.

Avec un singulier sourire l'enfant mince se penche sur l'esclave endormie près du feu, et l'embrasse légèrement. Puis elle regarde sa sœur. Une ombre de pitié passe dans ses yeux. Ses yeux merveilleux, les yeux de son père. Elle se penche, lui serre doucement l'épaule : « Allons donc, n'aies pas peur ! Tu sais bien que je ne fais jamais rien comme tout le monde. Le gros bouffi va se dégonfler comme une outre qui se vide, sinon il va y avoir une émeute. Le père Tirésias a beau ne pas y voir clair, il entend et il sent. Il ne laissera pas faire. Tu me vois attendre la mort comme une idiote, l'estomac vide, et dans le noir ? Tu connais le cousin. Il m'aime ! Il va trouver un truc pour me faire sortir. Tu verras ! »

Et elle veut tellement convaincre que l'aînée, subjuguée, lève le nez vers elle comme vers le soleil... C'est évident. Elle va s'en sortir une fois de plus. Elle la laisse partir et le petit bout de femme lui fait de grands signes d'au revoir, pendant que l'aînée se met à compter le linge : demain, c'est jour de lessive. Dehors la lune est si claire que tout se découpe et se superpose. Comme un squelette de la ville. Les ruelles sont des trous d'ombre striés de lumières.

La jeune fille est assise sur la plus haute des marches de l'escalier d'honneur, le menton dans ses mains. Elle regarde dormir la ville qui justement ne dort pas. Portée par le grand souffle du vent qui se lève, elle entend une grande plainte qui module comme le ressac lorsque la mer déferle. La poussière tourbillonne et lui pique les yeux. « Demain la journée sera rude, se dit-elle à mi-voix. Autant aller dormir, on verra bien. » Entrant dans le Palais, elle glisse sur ses pieds nus vers sa chambre, tout là-haut, près de la terrasse. Les murs épais étouffent les sons. Intriguée elle s'immobilise. Quelque chose subtilement a changé. L'ombre paraît habitée. C'est comme une présence qui l'entourerait, comme autrefois, quand sa nourrice la consolait... Elle marche vers la piscine vide depuis longtemps, et n'en croit pas ses yeux : sous un vent violent qui sans bruit fait tourbillonner l'eau, des ondes courent à la surface du bassin empli à déborder. Elle se penche, stupéfaite. Dans le miroir agité des vaguelettes, elle voit, en fixant très fort, elle voit... Mais ce n'est pas possible ? Elle voit le visage du frère qu'elle vient de mettre en terre (enfin, d'essayer...), puis celui de son père, qui rit de tous ses yeux retrouvés. Puis voilà la mère !

De saisissement, elle se laisse tomber sur les dalles. Elle regarde à nouveau : tout a disparu. La piscine est vide, comme d'habitude. « Comme aurait dit maman, il vaut mieux aller dormir », soliloque la petite. Le père Tirésias dit qu'en dormant les songes apportent une voie royale qui ne ment pas (faut-il interpréter...). C'est le moment ou jamais de rêver !

Du coup, ramenée au temps du bonheur, elle saute à cloche-pied comme une gamine qu'elle est encore, monte quatre à quatre les marches qui la séparent de sa chambre, soulève la couverture de laine tissée qui l'isole de la galerie, et tombe sur son lit de sangles.

Le sommeil ne se fait pas attendre : elle est brisée, et il y a de quoi. Autour d'elle, la mystérieuse présence veille. La voilà qui rêve : « Papa et maman sont au bord de la piscine, comme je les ai vus tout à l'heure.

Mais maintenant il fait jour. C'est plein soleil. Papa tient maman par le cou. Elle s'appuie sur l'épaule du frère qui vient de les rejoindre. Il a pris le temps de mettre sa belle cuirasse.

« Il n'a pas changé ! A la droite de papa, il n'y a encore personne : papa me tend la main. Il me tend la main : ils m'attendent ! Il a son sourire de quand j'étais petite. Dépêche-toi, ma fille, demain la barque repart à midi, et si tu la rates, le vieux Charron va faire la tête : il serait obligé de faire un voyage pour toi seule. Le pauvre vieux n'est plus très solide, à son âge. Il y a un sablier dans le caveau où ils vont te fourrer. Regarde-le bien avant qu'ils ne murent la porte. La torche de résine ne durera pas longtemps. Et puis nous sommes venus te chercher. Nous allons faire la route ensemble ! La mère lui coupe la parole : Ma petite fille, n'aies pas peur, j'y suis passée, alors je connais. Mais surtout garde ta ceinture de cuir. Tu sais, le fouet ! C'est indispensable. Avec ça tu leur fausseras compagnie en moins de deux. N'hésite pas. C'est de décider qui est dur. Comme tu n'as pas le choix, ce sera moins difficile. Attendre de mourir de faim ! A propos, ne t'inquiète pas. J'ai tout de suite pensé à te commander une petite robe juste comme il te faut ! »

...La petite éclate de rire dans son sommeil... « Maman, maman, tu es vraiment la plus belle et la plus merveilleuse des mamans. Tu n'as pas changé ! »

La sœur aînée qui comptant les cuveaux pour la lessive était montée jusque-là entend ce rire qui perle : elle ne comprend rien mais part, rassurée. « J'allais oublier, reprend le père, n'oublie pas de te retourner avant qu'ils ne t'emmurent, et de dire quelques mots bien sentis : ça se fait, dans ces cas-là. Et puis ça va les embêter d'être volés de ta panique, ces sadiques ! Ils vont ne plus rien comprendre, et ce sera bien fait ! » « Oui, papa », murmure l'enfant, aux anges. »

Des pas glissent tout doucement sur les dalles. Des pas qui préféreraient sûrement tourner les talons et courir ailleurs. Les gardes du palais sont là. La discipline n'est pas toujours drôle, surtout quand on s'en prend à des gamines de quinze ans qui — entre nous — n'ont pas tort. On vient de trouver le frère dûment honoré, et l'oncle fou furieux jaillit du groupe comme un dard de guêpe.

« C'est le moment, crie-t-il, montrant ses crocs comme un chien qui va mordre. Enfilez la robe des condamnés ! »

L'enfant se réveille immédiatement : le premier acte du programme. Elle jaillit des toiles de lin et dit, avec la voix martelée que prenait son père quand rien ne pouvait le faire changer d'avis : « Je suis doublement fille de roi, par mon père et par ma mère. Vous pouvez me tuer, mais vous ne pourrez pas m'empêcher de quitter la terre avec les vieux vêtements que je portais pour accompagner mon pauvre père infirme sur les routes de notre patrie ! Sortez, ou je me roule par terre ! » Aussitôt dit, aussitôt fait : elle saute sur le sol pendant que la troupe sort avec l'oncle vaincu qui grommelle. Les gardes tournent le dos, ostensiblement. Bon : la tunique. Le fouet enroulé sept fois : elle est si mince... Elle sort majestueusement, passant raide comme la Justice éternelle devant les hommes pas fiers du tout. L'un pleure ouvertement. Elle lui cligne de l'œil. Que peut-elle faire d'autre ? Comment lui faire comprendre que tout ça c'est du spectacle et qu'elle est ravie de se faire la malle ?

L'oncle suit comme un minable mâté. Le frère survivant cuve sa cuite. La sœur doit être au lavoir en train de gourmander les servantes.

Voilà qu'une grosse peur arrive à l'enfant : ses genoux s'entrechoquent, sa gorge se serre. Elle est brave. Mais enfin, être sacrifiée par bêtise, savoir que le pauvre fiancé est bien capable de se désespérer

— avec le père qu'il a, le pauvre ! — tout ça parce qu'elle a fait ce qu'elle devait vis-à-vis de son frère, alors vraiment les grandes personnes ne sont pas raisonnables. Si ses parents n'étaient pas venus cette nuit la mettre au courant du programme ça n'aurait pas été drôle du tout. Déjà, comme cela, il faut le faire.

Descendre les escaliers à pas comptés. Regarder les gens avec des yeux emplis de larmes. Décidément je suis aussi bonne comédienne que maman. Je me débrouille vraiment bien. Avancer les genoux tremblants et qu'ils le voient, ces lâches : ça va les empêcher longtemps de dormir.

Elle se parle tout bas, et les gens croient qu'elle prie. Au pied des marches le pauvre Père Tirésias, la figure à l'envers l'entend passer. Prévenant ses paroles, la petite lui dit : « Ne vous inquiétez pas, mon père, je dirai tout à papa et à maman. Ce n'est pas votre faute si l'oncle est fou d'orgueil, jaloux perdu de papa et bête comme un troupeau d'oies ! J'arrangerai tout avant que vous arriviez, mais dépêchez-vous de venir. Ici, ça devient invivable ! »

Le religieux ouvre la bouche et se tait : il voit que la petite a été secourue. Il ne sait pas comment. Mais il la bénit. Quelle gamine !

La rue est déjà chaude. Le peuple se colle en silence aux murs de torchis. Ceux-là l'aiment : quand elle traînait dans les rues, s'échappant du palais comme un garçon manqué, il y avait toujours, partout, un bol de lait et la plus belle couverture pour elle. Puis on la ramenait au palais où sa mère, fronçant le nez, la faisait astiquer dans un bain parfumé. Elle est même un jour entrée dans la grotte où elle va être emmurée dans quelques minutes, histoire de voir comment c'était : c'est vrai, il y avait un vieux sablier, un bas flanc, un tabouret et une table, et un anneau dans le mur pour la dernière torche.

Elle ne peut que laisser son sourire. Et son cœur. La distance paraît bien courte. Elle lève les yeux vers les collines qui dominent Thèbes : comme autrefois les pins noirs embaument l'air léger. Il a fallu bien peu de pas pour passer de la maison natale à la maison de la mort. Voilà. Elle y est. La porte dans le roc est ouverte comme une gueule noire. Le bourreau et ses aides attendent, une espèce de mortier à la main. Ils baissent les yeux. Vraiment, cette histoire ne leur plaît pas du tout. On devine une toute petite flamme sur la gauche de la grotte : la dernière torche. J'allais oublier : papa m'a dit de leur dire quelque chose de digne. Pendant que le bourreau pose sur la table un curieux quatre heures de pain et d'eau, la petite réfléchit. Puis se tournant vers la foule muette et sidérée :

« *Terre thébaine et cité de mes pères,*
Et vous, divins fondateurs de ma race,
C'en est donc fait...
Regardez bien, dignitaires thébains
à quel supplice — et sur l'ordre de qui ! —
l'on traîne en moi, seul reste de vos rois,
la seule et juste piété ! »

Ça, c'est envoyé, songe-t-elle. Louchant vers le sablier, elle fonce résolument vers l'intérieur du roc. Pas de blague, pas question de rater le bateau ! Elle fait au bourreau un geste royal : les gardes aident ce dernier à pousser la roche. Elle entend que le ciment se pose. Elle bout d'impatience. Ils ne peuvent pas se dépêcher, ces imbéciles ?

Le sable coule vite : voilà presque l'heure du rendez-vous. Tout doucement, dans la lueur rougeâtre de la torche, elle place le tabouret sous l'anneau où est glissée la branche de résine presque consumée, déroule le fouet qui l'enserre, en passe la mèche dans l'anneau, puis dans la boucle qui en termine l'autre extrémité.

LA MERE ABUSIVE

Elle tire. Voilà le lien amarré solidement. Ne reste plus qu'à faire un nœud coulant à l'autre bout : elle fait tellement attention qu'elle en tire la langue. C'est vrai que ce n'est pas facile : il y a peu de longueur.

Elle est tellement restée sur la pointe des pieds que ses jambes ont des crampes : des plis de sa ceinture elle sort Kâ, sa poupée. On est brave, mais quand même, ça fait moins seule ! Elle cale dans son bras le pantin de chiffons, et elle saute.

Antigone, fille de Jocaste et d'Œdipe s'est pendue.

Quelques minutes plus tard, sa grâce arrivait. Nous aimerions rêver de règlements de comptes familiaux moins cruels.

CHRONOLOGIE

ANNEXES BIOGRAPHIQUES

VIOLETTE NOZIERES

1905 Germaine âgée de seize ans épouse Arnal dont elle se sépare en 1910.

1913 Baptiste Nozières rencontre Germaine.

1914 Baptiste, trente ans, et Germaine se marient en août.

1915 11 janvier : naissance de Violette à Neuvy.

1931 Première aventure amoureuse de Violette.

1932 Diagnostic de syphilis chez Violette.

1933 23 mars : médicament donné aux parents « contre la contagion ». Simulation d'incendie.
30 juin : rencontre de Jean Dabin.
14 juillet : Baptiste accidenté.
17 août : déjeuner avec M. Emile. Après-midi avec Jean Dabin.
21 août : les parents ont découvert les lettres de Jean et un vol de 100 F. Dispute. De nouveau, Violette leur donne à chacun un sachet de la part du Dr Déron. Baptiste, pris de soupçon, descend à la pharmacie : un doute le retient. Il remonte. Les parents prennent les sachets. Violette sort après avoir volé 1 000 F sur le corps de sa mère assommée et 2 000 F dans l'armoire.
22 août : Violette passe le temps avec une amie. Rentre à 1 h 30 du matin, soit le 23 août, trouve le père mort, la mère dans le coma, simule un suicide par le gaz.
27 août : arrestation de Violette.
10 octobre : Violette parle enfin de M. Emile. Condamnation à mort.
Décembre : condamnation commuée en travaux forcés.

1945 29 août : libération de Violette.

1963 Violette opérée en janvier ; en mai, réhabilitation obtenue.

1965 Mort de Violette.

LES SŒURS PAPIN

1901   Gustave Papin épouse Clémence Redré à Ma-
        ringé (Sarthe).
        8 mars : naissance de Christine, confiée à Isa-
        belle en avril.
1911   Naissance de Léa confiée à l'oncle René.
1912   Retour de Chirstine à la maison.
        Viol d'Emilia par son père.
        Divorce des parents ; Emilia et Christine sont
        placées au « Bon Pasteur ».
1914   Départ du père pour le Front.
1915   A Pâques, Christine sauve Léa d'un cheval
        emballé.
1918   Emilia entre en religion sur autorisation du
        père.
1919   La mère reprend Léa à l'oncle et la met en
        pension.
        Empêche Christine de devenir religieuse en lui
        faisant un chantage.
        Christine et Léa placées ensemble.
1930   Christine se bat pour faire émanciper Léa.
1932   Christine refuse la réconciliation avec la mère.
1933   2 février : double meurtre.
        29 septembre : Christine est condamnée à mort
        et Léa à dix ans de travaux forcés.
1934   Peine de mort commuée en travaux forcés à
        perpétuité.
        Internement de Christine à Rennes.
1937   Mort de Christine.
1942   Léa sort de prison et va vivre auprès de sa
        mère.

MARCEL PETIOT

1897 Naissance. Placement immédiat en nourrice.

1903 Il ébouillante le chat.

1911 Mis à la porte par son père.

1920 Hospitalisé à Rennes en psychiatrie.

1921 Réformé pour troubles mentaux en février. Soutenance de thèse en septembre.

1924 Rencontre Louisette.

1926 Louisette retrouvée noyée.

1927 Maire de Villeneuve-sur-Yonne où il s'est installé. Epouse Georgette.

1928 Naissance de Gérard.

1930 Elu au Conseil général.

1936 Vol à l'étalage. Acquittement pour troubles mentaux, interné, déclaré dangereux.

1937 Février : reprend sa clientèle.

1941 Achat de l'hôtel de la rue Le Sueur.

1942 Mai : arrêté par les Allemands : réseau d'évasion du « Dr Eugène ». Torturé rue des Saussaies.

1944 Relâché en janvier. Commande de la chaux vive.

11 mars : feu de cheminée rue Le Sueur ; arrestation de la femme et du frère.

Septembre : « épure » à la caserne de Reuilly sous le nom de Dr Waterwald.

Le 19 la presse reprend l'affaire Petiot : « Petiot, soldat du Reich ». Il répond 19 pages écrites de sa main.

Octobre : Petiot identifié par son écriture.

Arrêté le 31 octobre ; incarcéré à la Santé : avocat Mᵉ Floriot.

1946 Procès le 18 mars. Condamné à mort le 4 avril. Les psychiatres l'ont déclaré responsable.

Mai : pourvoi en Cassation rejeté.

Exécuté le 25 mai 1946.

JEAN JAURES

1859 23 septembre : Naissance à Castres.
1868 Jean et Louis mis au Collège de Castres.
1871 Défaite de la France.
1878 Premier Prix au Concours général.
      Admis à Normale Supérieure.
1882 Mort du père, Jean-Henri-Jules Jaurès.
1883 Création d'une Maîtrise de Conférence à la
      Faculté des Lettres de Toulouse.
1885 Elu député de Castres à 26 ans.
      Se marie avec Louise Blois à l'église.
1886 Monte à Paris avec sa femme et « Mérotte ».
      Cette dernière est mise dans une maison de
      vieillards à Versailles.
1889 Battu aux élections.
      Naissance de sa fille Madeleine (1889-1951).
      Adélaïde, « la Mérotte » a suivi à Toulouse.
      Domicile séparé.
1893 Elu député de Carmaux. Le travail féminin est
      réglementé.
1898 Co-directeur de « La Petite République ».
1900 Février : annonce d'une « Histoire Socialiste ».
1902 Jaurès réélu à Carmaux.
1903 Elu vice-président de la Chambre.
1904 Premier numéro de l'Humanité le 18 avril.
1906 Réélu à Carmaux.
1908 Discours de Jaurès contre la peine de mort.
1910 Réélu à Carmaux.
1911 Voyage en Amérique du Sud.
1914 Réélu à Carmaux.
      28 juin : attentat de Sarajevo.
      28 juillet : l'Autriche déclare la guerre à la Ser-
      bie. L'Angleterre propose sa médiation. A
      Bruxelles, les socialistes soutiennent la guerre.
      Abattu vers 21 h 30 le 3 août par Raoul Vilain.
      Ce dernier, acquitté en 1919, sera massacré par
      les anarchistes en 1936 à Ibiza.

LOUISE MICHEL

1830   Naissance de Louise Michel au château de Vroncourt.

1851   Mort des grands-parents paternels : les héritiers la chassent.

1853   Nommée institutrice, elle ouvre son école à Audeloncourt.

1856   Part pour Paris, sous-maîtresse dans l'école de Mme Vollier, rue du Château-d'Eau.

1865   Sa mère paie à tempérament l'Externat de Montmartre, où Mme Vollier a rejoint Louise. Rencontre avec Théo Ferré.

1867   Mort de Mme Vollier.

1870   Mort de la grand-mère maternelle, Marguerite. Septembre : Sedan, siège de Paris.
       31 octobre : la Commune est nommée et escamotée.

1871   28 mai : les combats cessent, Louise s'est échappée, mais sa mère est prise à sa place. Louise se rend au « Bastion 37 » et la mère part.
       Juin : à Versailles, prison des Chantiers.
       16 décembre : Procès de Louise, condamnée à la déportation en Nouvelle Calédonie.

1873   Juillet : transfert à Rochefort-La Rochelle.
       24 août : quitte la France. Révolte des Canaques.

1878   Devient institutrice adjointe à Nouméa.

1880   Amnistie.

1881   Janvier : retour à Paris, 24, rue Polonceau. Vit avec sa mère et Marie. Louise reprend son action révolutionnaire.

1882   Janvier : anniversaire de la mort de Blanqui. Manifestations : Louise est arrêtée.

1883   Mars : manifestation des Invalides.
       Juin : procès de Louise, condamnée à six ans de réclusion criminelle.

1884   2 novembre : dernière lettre de sa mère.

1886   5 janvier : Louise Michel est grâciée. Première édition de ses Mémoires.

1905   Mort de Louise Michel à Marseille.

LES BOVARY

Tostes : Eugène y reste quatre ans :
— deux ans avec sa première femme.
— six mois délai fiançailles ;
— un an et demi avec Delphine.

Yonville l'Abbaye :
Emma y vivra quatre ans et demi :
— six mois de grossesse ;
— un an et demi de calme ;
— un an avec Rodolphe comme amant ;
— un an de fièvre cérébrale et convalescence.
— six mois avec Léon comme amant.

Berthe a quatre ans quand sa mère meurt.

TABLE DES MATIERES

 **le hameau éditeur**
15 rue Servandoni - 75006 Paris - 329 05 50

LA CONNAISSANCE DE SOI
ET DES AUTRES
clément blin
une véritable encyclopédie du caractère

GUIDE DE LA VIE INTERIEURE
tara depré
des solutions vivantes pour résoudre les problèmes
les plus aigus de notre vie affective et sociale

COMMENT ETRE BIEN DANS SA PEAU
mildred newman - bernard berkowitz
un grand succès de librairie devenu
un classique de la psychologie

L'ART DE LA COMMUNICATION
royce a. coffin
une grande part de notre vie passe par la communication. Essentielle pour notre équilibre affectif, elle est
également indispensable à tout échange social

L'ART DE LA NEGOCIATION
tara depré
toutes les situations-types d'une négociation. A l'aide
de cas concrets, de tests et d'exercices, le lecteur
s'initiera à cette technique par laquelle nous pouvons
atteindre, sans affrontement, les objectifs les plus diffi-
ciles.

RESPIRER, PARLER, CHANTER...
dr marie-claude pfauwadel
la voix, ses mystères, ses pouvoirs

DICTIONNAIRE DES REVES
gilbert créola
les trois méthodes d'interprétation (de l'Antiquité, de Freud, de Jung) pour la première fois rassemblées pour chaque rêve.

LA CONNAISSANCE DE SOI PAR LES TESTS
tara depré
une série de tests correspondant aux quatre temps de notre existence : agir, penser, sentir, être soi-même.

DICTIONNAIRE MEDICAL DE LA FEMME
dr lucien bouccara

COMMENT VAINCRE LA FATIGUE
linda pembrook

**COMMENT COMPRENDRE
LES MALADIES PSYCHOSOMATIQUES**
dr gilbert tordjman

**DICTIONNAIRE CRITIQUE
DE PSYCHIATRIE**
dr barthold bierens de haan

LA DEPRESSION
pr pierre-bernard schneider

QU'EST-CE QUE LA SUGGESTION
charles baudouin
le précurseur des nouvelles thérapies explique le fonctionnement d'un phénomène psychique dont nous constatons tous les jours les effets (mode, publicité, éducation...)

HOMEOPATHIE FACILE
dr John clarke
la « bible » anglo-saxonne de l'homéopathie. Elle se
caractérise par la quantité des symptômes répertoriés
et la diversité des traitements préconisés pour chaque
cas.

**DICTIONNAIRE PRATIQUE
DES MEDECINES DOUCES**
mark bricklin

**DICTIONNAIRE DES ALIMENTS
ET DE LA NUTRITION**
dr camille craplet - josette craplet-meunier

LE DEPISTAGE DU CANCER
pr gustave riotton

COMMENT SE SOIGNER PAR LES PLANTES
henry errera

CREER L'EMPLOI : LA MICRO-ECONOMIE
jean lecerf

MUTATION 2000
jean-pierre quentin

**LA PHYSIQUE MODERNE ET
LES POUVOIRS DE L'ESPRIT**
o. costo de beauregard - m. cazenave - e. noël

**ENVOI DE NOTRE CATALOGUE GRATUIT
SUR DEMANDE**

ACHEVÉ D'IMPRIMER
SUR LES PRESSES
DE L'IMPRIMERIE S.E.G.
33, RUE BÉRANGER
CHATILLON-SOUS-BAGNEUX

Numéro d'impression : 2281
Dépôt légal : février 1983